K

LA BARCAROLA

PABLO NERUDA

LA BARCAROLA

BIBLIOTECA BREVE
EDITORIAL SEIX BARRAL, S. A.
BARCELONA - CARACAS - MÉXICO

Primera edición: 1967
(Editorial Losada, S..A., Buenos Aires)

Cubierta: △TRIANGLE

Primera edición: marzo de 1977

© 1967: Editorial Losada, S. A.

Derechos exclusivos de edición
reservados para España, México y Venezuela:
© 1977: Editorial Seix Barral, S. A.
Provenza, 219 - Barcelona

ISBN: 84 322 0312 2
Depósito legal: B. 6.935 - 1977

Printed in Spain

LA BARCAROLA

LA BARCAROLA

CANCION

Comienza La Barcarola:

TE AMO

Amante, te amo y me amas y te amo:
son cortos los días, los meses, la lluvia, los trenes:
son altas las casas, los árboles, y somos más altos:
se acerca en la arena la espuma que quiere besarte:
transmigran las aves de los archipiélagos
y crecen en mi corazón tus raíces de trigo.

No hay duda, amor mío, que la tempestad de Septiembre
cayó con su hierro oxidado sobre tu cabeza
y cuando, entre rachas de espinas te vi caminando indefensa,
tomé tu guitarra de ámbar, me puse a tu lado,
sintiendo que yo no podía cantar sin tu boca,
que yo me moría si no me mirabas llorando en la lluvia.

Porque los quebrantos de amor a la orilla del río,
porque la cantata que en pleno crepúsculo ardía en mi som-
    bra,
por qué se encerraron en ti, chillaneja fragante,
y restituyeron el don y el aroma que necesitaba
mi traje gastado por tantas batallas de invierno?

EN LAS CALLES DE PRAGA

Recuerdas las calles de Praga qué duras sonaban
como si tambores de piedra sonaran en la soledad
de aquel que a través de los mares buscó tu recuerdo:
tu imagen encima del puente San Carlos era una naranja.

Entonces cruzamos la nieve de siete fronteras
desde Budapest que agregaba rosales y pan a su estirpe
hasta que los amantes, tú y yo, perseguidos, sedientos y hambrientos,
nos reconocimos hiriéndonos con dientes y besos y espadas.

Oh días cortados por las cimitarras del fuego y la furia
sufriendo el amante y la amante sin tregua y sin llanto
como si el sentimiento se hubiera enterrado en un páramo
entre las ortigas
y cada expresión se turbara quemándose y volviéndose lava.

LAS HERIDAS

Fue la ofensa tal vez del amor escondido y tal vez la incerteza, el dolor vacilante,
el temer a la herida que no solamente tu piel y mi piel traspasara,
sino que llegara a instalar una lágrima ronca en los párpados de la que me amó,
lo cierto es que ya no teníamos ni cielo ni sombra ni rama de rojo ciruelo con fruto y rocío
y sólo la ira de los callejones que no tienen puertas entraba y salía en mi alma
sin saber dónde ir ni volver sin matar o morir.

LOS VERSOS DEL CAPITÁN

Oh dolor que envolvieron relámpagos y fueron guardándose
en los versos aquellos, fugaces y duros, floridos y amargos,
en que un Capitán cuyos ojos esconde una máscara negra
te ama, oh amor, arrancándose con manos heridas
las llamas que queman, las lanzas de sangre y suplicio.

Pero luego un panal substituye a la piedra del muro arañado:
frente a frente, de pronto sentimos la impura miseria
de dar a los otros la miel que buscábamos por agua y por
    fuego,
por tierra y por luna, por aire y por hierro, por sangre y por
    ira:
entonces al fondo de tú y al fondo de yo descubrimos que es-
    tábamos ciegos
adentro de un pozo que ardía con nuestras tinieblas.

COMBATE DE ITALIA

Europa vestida de viejas violetas y torres de estirpe agobiada
nos hizo volar en su ola de ilustres pasiones
y en Roma las flores, las voces, la noche iracunda,
los nobles hermanos que me rescataron de la Policía:
mas pronto se abrieron los brazos de Italia abrazándonos
con sus jazmineros crecidos en grietas de roca
y su paroxismo de ojos que nos enseñaron a mirar el mundo.

LOS AMANTES DE CAPRI

La isla sostiene en su centro el alma como una moneda
que el tiempo y el viento limpiaron dejándola pura

11

como almendra intacta y agreste cortada en la piel del zafiro
y allí nuestro amor fue la torre invisible que tiembla en el
humo,
el orbe vacío detuvo su cola estrellada y la red con los peces
del cielo
porque los amantes de Capri cerraron los ojos y un ronco
relámpago clavó en el silbante circuito marino
al miedo que huyó desangrándose y herido de muerte
como la amenaza de un pez espantoso por súbito arpón derro-
tado:
y luego en la miel oceánica navega la estatua de proa,
desnuda, enlazada por el incitante ciclón masculino.

DESCRIPCIÓN DE CAPRI

La viña en la roca, las grietas del musgo, los muros que enredan
las enredaderas, los plintos de flor y de piedra:
la isla es la cítara que fue colocada en la altura sonora
y cuerda por cuerda la luz ensayó desde el día remoto
su voz, el color de las letras del día,
y de su fragante recinto volaba la aurora
derribando el rocío y abriendo los ojos de Europa.

TÚ ENTRE LOS QUE PARECÍAN EXTRAÑOS

Tú, clara y oscura, Matilde morena y dorada,
parecida al trigo y al vino y al pan de la patria,
allí en los caminos abiertos por reinos después devorados,
hacías cantar tus caderas y te parecías, antigua y terrestre
araucana,
al ánfora pura que ardió con el vino en aquella comarca

12

y te conocía el aceite insigne de las cacerolas
y las amapolas creciendo en el polen de antiguos arados
te reconocían y se balanceaban
bailando en tus pies rumorosos.
Porque son los misterios del pueblo ser uno y ser todos
e igual es tu madre campestre que yace en las gredas de
    Ñuble
a la ráfaga etrusca que mueve las trenzas tirrenas
y tú eres un cántaro negro de Quinchamalí o de Pompeya
erigido por manos profundas que no tienen nombre:
por eso al besarte, amor mío, y apretar con mis labios tu
    boca,
en tu boca me diste la sombra y la música del barro terrestre.

LOS SUEÑOS

Hermana del agua empeñada y de sus adversarias
las piedras del río, la arcilla evidente, la tosca madera:
cuando levantabas soñando la frente en la noche de Capri
caían espigas de tu cabellera, y en mi pensamiento
volaba el hipnótico enjambre del campo de Chile:
mi sueño desviaba sus trenes hacia Antofagasta:
entraban lloviendo en el alba de Pillanlelbún,
allí donde el río recoge el olor de la vieja curtiembre
y la lluvia salpica el recinto de los derribados.

LA NOSTALGIA

De aquellas aldeas que cruza el invierno y los ferrocarriles
invicto salía a pesar de los años mi oscuro relámpago
que aún ilumina las calles adversas en donde se unieron el
    frío

y el barro como las dos alas de un ave terrible:
ahora al llegar a mi vida tu aroma escarlata
tembló mi memoria en la sombra perdida como si en el
    bosque
rompiera un eléctrico canto la palpitación de la tierra.

EL DESTIERRO

Porque, bienamada, es el hombre que canta el que muere
    muriendo sin muerte
cuando ya no tocaron sus brazos las originarias tormentas,
cuando ya no quemaron sus ojos los intermitentes conflictos
    natales
o cuando la patria evasiva negó al desterrado su copa de
    amor y aspereza
no muere y se muere el que canta, y padece muriendo y vi-
    viendo el que canta.

LA DULCE PATRIA

La tierra, mi tierra, mi barro, la luz sanguinaria del orto vol-
    cánico
la paz claudicante del día y la noche de los terremotos,
el boldo, el laurel, la araucaria ocupando el perfil del planeta,
el pastel de maíz, la corvina saliendo del horno silvestre,
el latido del cóndor subiendo en la ascética piel de la nieve,
el collar de los ríos que ostentan las uvas de lagos sin nom-
    bre,
los patos salvajes que emigran al polo magnético rayando el
    crepúsculo de los litorales,
el hombre y su esposa que leen después de comida novelas
    heroicas,

14

las calles de Rengo, Rancagua, Renaico, Loncoche,
el humo del campo en otoño cerca de Quirihue,
allí donde mi alma parece una pobre guitarra que llora
cantando y cayendo la tarde en las aguas oscuras del río.

EL AMOR

Te amé sin por qué, sin de dónde, te amé sin mirar, sin me-
    dida,
y yo no sabía que oía la voz de la férrea distancia,
el eco llamando a la greda que canta por las cordilleras,
yo no suponía, chilena, que tú eras mis propias raíces,
yo sin saber cómo entre idiomas ajenos leí el alfabeto
que tus pies menudos dejaban andando en la arena
y tú sin tocarme acudías al centro del bosque invisible
a marcar el árbol de cuya corteza volaba el aroma perdido.

RESURRECCIONES

Amiga, es tu beso el que canta como una campana en el agua
de la catedral sumergida por cuyas ventanas
entraban los peces sin ojos, las algas viciosas,
bajo en el lodo del lago Llanquihue que adora la nieve,
tu beso despierta el sonido y propaga a las islas del viento
una incubación de nenúfar y sol submarino.
Así del letargo creció la corriente que nombra las cosas:
tu amor sacudió los metales que hundió la catástrofe:
tu amor amasó las palabras, dispuso el color de la arena,
y se levantó en el abismo la torre terrestre y celeste.

EL CANTO

La torre del pan, la estructura que el arco construye en la
    altura
con la melodía elevando su fértil firmeza
y el pétalo duro del canto creciendo en la rosa,
así tu presencia y tu ausencia y el peso de tu cabellera,
el fresco calor de tu cuerpo de avena en la cama,
la piel victoriosa que tu primavera dispuso al costado
de mi corazón que golpeaba en la piedra del muro,
el firme contacto de trigo y de oro de tus asoleadas caderas,
tu voz derramando dulzura salvaje como una cascada,
tu boca que amó la presión de mis besos tardíos,
fue como si el día y la noche cortaran su nudo mostrando en-
    treabierta
la puerta que une y separa a la luz de la sombra
y por la abertura asomara el distante dominio
que el hombre buscaba picando la piedra, la sombra, el vacío.

PODERES

Tal vez el amor restituye un cristal quebrantado en el fondo
del ser, una sal esparcida y perdida
y aparece entre sangre y silencio como la criatura
el poder que no impera sino adentro del goce y del alma
y así en este equilibrio podría fundarse una abeja
o encerrar las conquistas de todos los tiempos en una ama-
    pola,
porque así de infinito es no amar y esperar a la orilla de un
    río redondo
y así son transmutados los vínculos en el mínimo reino re-
    cién descubierto.

REGRESO

Amor mío, en el mar navegamos de vuelta a la raza,
a la herencia, al volcán y al recinto, al idioma dormido
que se nos salía por la cabellera en las tierras ajenas:
el mar palpitaba como una nodriza repleta:
los senos atlánticos sostienen el mínimo barco de los pasajeros
y apenas sonríen los desconocidos bebiendo sustancias he-
    ladas,
trombones y misas y máscaras, comidas rituales, rumores,
cada uno se amarra a su olvido con su predilecta cadena
y los entresíes del disimulado de oreja furtiva
la cesta de hierro nos lleva palpando y cortando el océano.

LOS BARCOS

Como en el mercado se tiran al saco carbón y cebollas,
alcohol, parafina, papas, zanahorias, chuletas, aceite, naranjas,
el barco es el vago desorden en donde cayeron
melifluas robustas, hambrientos tahúres, popes, mercaderes:
a veces deciden mirar el océano que se ha detenido
como un queso azul que amenaza con ojos espesos
y el terror de lo inmóvil penetra en la frente de los pasajeros:
cada hombre desea gastar los zapatos, los pies y los huesos
moverse en su horrible infinito hasta que ya no exista.
Termina el peligro, la nave circula en el agua del círculo
y lejos asoman las torres de plata de Montevideo.

DATITLA

Amor, bienamada, a la luz solitaria y la arena de invierno
recuerdas Datitla? Los pinos oscuros, la lluvia uruguaya que
    moja el graznido

de los benteveos, la súbita luz de la naturaleza
que clava con rayos la noche y la llena de párpados rotos
y de fogonazos y supersticiosos relámpagos verdes
hasta que cegados por el resplandor de sus libros eléctricos
nos dábamos vueltas en sueños que el cielo horadaba y cu-
    bría.

Los Mántaras fueron presencia y ausencia, arboleda invisible
de frutos visibles, la casa copiosa de la soledad,
las claves de amigo y amiga ponían su marca en el muro
con el natural generoso que envuelve en la flor la ambrosía
o como en el aire sostiene su vuelo nocturno
la estrella bruñida y brillante afirmada en su propia pureza
y allí del aroma esparcido en las bajas riberas
tú y yo recogimos mastrantos, oréganos, menzelia, espa-
    dañas:
el herbario interregno que sólo el amor recupera en las cos-
    tas del mundo.

LA AMISTAD

Amigos, oh todos, Albertos y Olgas de toda la tierra!
No escriben los libros de amor la amistad del amigo al amor,
no escriben el don que suscitan y el pan que otorgaron al
    amante errante,
olvida el sortílego mirando los ojos de puma de su bienamada
que manos amigas labraron maderas, elevaron estacas
para que enlazaran en paz su alegría los dos errabundos.
Injusto o tardío tú y yo inauguramos Matilde en el libro de
    amor
el capítulo abierto que indica al amor lo que debe
y aquí se establece con miel la amistad verdadera:

la de los que acogen en la dicha sin palidecer de neuralgia
y elevan la copa de oro en honor del honor y el amor

LA CHASCONA

La piedra y los clavos, la tabla, la teja se unieron: he aquí
    levantada
la casa chascona con agua que corre escribiendo en su idioma,
las zarzas guardaban el sitio con su sanguinario ramaje
hasta que la escala y sus muros supieron tu nombre
y la flor encrespada, la vid y su alado zarcillo,
las hojas de higuera que como estandartes de razas remotas
cernían sus alas oscuras sobre tu cabeza,
el muro de azul victorioso, el ónix abstracto del suelo,
tus ojos, mis ojos, están derramados en roca y madera
por todos los sitios, los días febriles, la paz que construye
y sigue ordenada la casa con tu transparencia.

Mi casa, tu casa, tu sueño en mis ojos, tu sangre siguiendo el
    camino del cuerpo que duerme
como una paloma cerrada en sus alas inmóvil persigue su
    vuelo
y el tiempo recoge en su copa tu sueño y el mío
en la casa que apenas nació de las manos despiertas.
La noche encontrada por fin en la nave que tú construimos,
la paz de madera olorosa que sigue con pájaros,
que sigue el susurro del viento perdido en las hojas
y de las raíces que comen la paz suculenta del humus
mientras sobreviene sobre mí dormida la luna del agua
como una paloma del bosque del Sur que dirige el dominio
del cielo, del aire, del viento sombrío que te pertenece,
dormida, durmiendo en la casa que hicieron tus manos,

delgada en el sueño, en el germen del humus nocturno
y multiplicada en la sombra como el crecimiento del trigo.

Dorada, la tierra te dio la armadura del trigo,
el color que los hornos cocieron con barro y delicia,
la piel que no es blanca ni es negra ni roja ni verde,
que tiene el color de la arena, del pan, de la lluvia,
del sol, de la pura madera, del viento,
tu carne color de campana, color de alimento fragante,
tu carne que forma la nave y encierra la ola!

De tantas delgadas estrellas que mi alma recoge en la noche
recibo el rocío que el día convierte en ceniza
y bebo la copa de estrellas difuntas llorando las lágrimas
de todos los hombres, de los prisioneros, de los carceleros,
y todas las manos me buscan mostrando una llaga,
mostrando el dolor, el suplicio o la brusca esperanza,
y así sin que el cielo y la tierra me dejen tranquilo,
así consumido por otros dolores que cambian de rostro,
recibo en el sol y en el día la estatua de tu claridad
y en la sombra, en la luna, en el sueño, el racimo del reino,
el contacto que induce a mi sangre a cantar en la muerte.

La miel, bienamada, la ilustre dulzura del viaje completo
y aún, entre largos caminos, fundamos en Valparaíso una
    torre,
por más que en tus pies encontré mis raíces perdidas
tú y yo mantuvimos abierta la puerta del mar insepulto
y así destinamos a La Sebastiana el deber de llamar los navíos
y ver bajo el humo del puerto la rosa incitante,
el camino cortado en el agua por el hombre y sus mercade-
    rías.

Pero azul y rosado, roído y amargo entreabierto entre sus
    telarañas,
he aquí, sosteniéndose en hilos, en uñas, en enredaderas,
he aquí victorioso, harapiento, color de campana y de miel,
he aquí, bermellón y amarillo, purpúreo, plateado, violeta,
sombrío y alegre, secreto y abierto como una sandía
el puerto y la puerta de Chile, el manto radiante de Valpa-
    raíso,
el sonoro estupor de la lluvia en los cerros cargados de pade-
    cimientos,
el sol resbalando en la oscura mirada, en los ojos más bellos
    del mundo.

Yo te convidé a la alegría de un puerto agarrado a la furia del
    alto oleaje,
metido en el frío del último océano, viviendo en peligro,
hermosa es la nave sombría, la luz vesperal de los meses an-
    tárticos,
la nave de techo amaranto, el puñado de velas o casas o vidas
que aquí se vistieron con trajes de honor y banderas
y se sostuvieron cayéndose en el terremoto que abría y cerra-
    ba el infierno,
tomándose al fin de la mano los hombres, los muros, las
    cosas,
unidos y desvencijados en el estertor planetario.

Cada hombre contó con sus manos los bienes funestos, el río
de sus extensiones, su espada, su rienda, su ganadería,
y dijo a la esposa "Defiende tu páramo ardiente o tu campo
    de nieve"
o "Cuida la vaca, los viejos telares, la sierra o el oro".

Muy bien, bienamada, es la ley de los siglos que fueron atán-
    dose

adentro del hombre, en un hilo que ataba también sus ca-
    bezas:
el príncipe echaba las redes con el sacerdote enlutado,
y mientras los dioses callaban, caían al cofre monedas
que allí acumularon la ira y la sangre del hombre desnudo.

Por eso, erigida la base y bendita por cuervos oscuros
subió el interés y dispuso en el zócalo su pie mercenario,
después a la Estatua impusieron medallas y música,
periódicos, radios y televisores cantaron la loa del Santo
    Dinero,
y así hasta el probable, hasta el que no pudo ser hombre,
el manumitido, el desnudo y hambriento, el pastor lacerado,
el empleado nocturno que roe en tinieblas su pan disputado
    a las ratas,
creyeron que aquel era dios, defendieron el Arca suprema
y se sepultaron en el humillado individuo, ahitos de orgullo
    prestado.

VIAJEROS

Recuerdo la fina ceniza celeste que se desprendía
cayendo en tus ojos, cubriendo el vestido celeste,
azul, extrazul, azulento era el cielo desnudo
y el oro era azul en los senos sagrados con que Samarkanda
volcaba sus copas azules sobre tu cabeza
dándote el prestigio de un viento enterrado que vuelve a la
    vida
derramando regalos azules y frutos de pompa celeste.

Yo escribo el recuerdo, el reciente viajero, el perdido home-
    naje
que mi alma trazó navegando las duras regiones

en que se encontraron los siglos más viejos, cubiertos de pol-
     vo y de sangre,
con la irrigación floreciente de las energías:
tú sabes, amor, que pisamos la estepa recién entregada al
     clavel:
recién amasaban el pan los que ordenan que canten las aguas;
recién se acostaban al lado del río inventado por ellos
y vimos llegar el aroma después de mil años de ausencia.

Despierto en la noche, despiertas de noche, perdido en la
     paz cenicienta
de aquellas ciudades que tumban la tarde con torres de oro
y encima racimos de mágicas cúpulas donde la turquesa
fraguó un hemisferio secreto y sagrado de luz femenina
y tú en el crepúsculo, perdida en mi sueño repites
con dos cereales dorados el sueño del cielo perdido.

Lo nuevo que trazan los hombres, la risa del claro ingeniero
que nos dio a probar el producto orgulloso nacido en la es-
     tepa maldita
tal vez olvidamos tejiendo en el sueño la continuidad del si-
     lencio
porque así determina el viajero que aquella ceniza sagrada,
las torres de guerra, el hotel de los dioses callados,
todo aquello que oyó los galopes guerreros, el grito
del agonizante enredado en la cruz o en la rueda,
todo aquello que el tiempo encendió con su lámpara y luego
tembló en el vacío y gastó la corriente infinita de otoños y
     lunas
parece en el sueño más vivo que todos los vivos
y cuando este huevo, esta miel, esta hectárea de lino,
este asado de reses que pastan las nuevas praderas,
este canto de amor kolkhosiano en el agua que corre
parecen irreales, perdidos en medio del sol de Bokhara,

como si la tierra sedienta, violada y nutricia,
quisiera extender el mandato, y el puño vacío
de cúpulas, tumbas, mezquitas, y de su esplendor agobiado.

TERREMOTO EN CHILE

EL BARCO camina en la noche sin pies resbalando
en el agua sin fondo ni forma, en la bóveda negra del mundo,
en las pobres cabinas el hombre resuelve sus mínimas normas,
la ropa, el reloj, la sortija, los libros sangrientos que lee:
el amor escogió su escondite y la sombra entrelaza
un férreo relámpago que cae frustrado al vacío
y en plena substancia impasible resbala el navío
con un cargamento de pobres desnudos y mercaderías.

Allí, en el comienzo de la primavera marina,
cuando el ave asustada y hambrienta persigue a la nave
y en la sal apacible del cielo y el agua aparece el aroma
del bosque de Europa, el olor de la menta terrestre,
supimos, amada, que Chile sufría quebrado por un terremoto.
Dios mío, tocó la campana la lengua del antepasado en mi
    boca,
otra vez, otra vez el caballo iracundo patea el planeta
y escoge la patria delgada, la orilla del páramo andino,
la tierra que dio en su angostura la uva celeste y el cobre ab-
    soluto,
otra vez, otra vez la herradura en el rostro
de la pobre familia que nace y padece otra vez el espanto y la
    grieta,
el suelo que aparta los pies y divide el volumen del alma
hasta hacerla un pañuelo, un puñado de polvo, un gemido.

Tal vez eres, Chile, la cola del mundo, el cometa marino
apenas pegado al asombro nevado de la cordillera
y el paso instantáneo de un átomo suelto en la vena magné-
    tica:
se cimbra tu sombra de ámbar y tu geología
como si el rechazo del Polo al imán de tus viñas azules
hiciera el conflicto, y tu esencia, otra vez derramada,
otra vez debe unir su desgracia y su gracia y nacer otra vez.

Por los muros caídos, el llanto en el triste hospital,
por las calles cubiertas de escombros y miedo,
por la mina que forma la sombra a las doce del día,
por el ave que vuela sin árbol y el perro que aúlla sin ojos
patria de agua y de vino, hija y madre de mi alma,
déjame confundirme contigo en el viento y el llanto
y que el mismo iracundo destino aniquile mi cuerpo y mi
    tierra.

Oh sin par hermosura del Norte desierto,
la arena infinita, las huellas metálicas de los meteoros,
la sombra cortando el dibujo de su geografía violeta
en la clara paciencia del día vacío como una basílica
en la que estuvieran sentadas las piedras caídas desde otro
    planeta:
a su alrededor las colinas de cuello irisado esperando y más
    tarde
las estrellas más frescas del mundo palpitan tan cerca
que huelen a sombra, a jazmín, a la nieve del cielo.

Oh pampas desnudas, capítulos crueles que sólo recorren los
    ojos del ceibo,
sin par es el nombre del hombre que cava en la puerta maldita
y rompe dejando sus manos en los cementerios
la costra del astro escondido, nitrato, sulfato, bismuto,

y arriba en la nieve desierta de cruces la altura erizada,
a entrega a través de su sangre la sangre maligna del cobre,
sin par es el nombre del hombre y modesta es su suave cos-
    tumbre,
se llama chileno, está arriba y abajo en el fuego, en el frío,
no tiene otro nombre y le basta con eso, no tiene apellido,
se llama también arenal o salitre o quebranto
y sólo si miras sus manos amargas sabrás que es mi hermano.

Rosales, Ramírez, Machucas, Sotos, Aguileras,
Quevedos, Basoaltos, Urrutias, Ortegas, Navarros, Loyolas,
Sánchez, Pérez, Reyes, Tapias,
Conejeros, González, Martínez,
Cerdas, Montes, López, Aguirres, Morenos, Castillos,
Ampueros, Salinas, Bernales, Pintos, Navarretes,
Núñez, Carvajales, Carrillos, Candias, Alegrías,
Parras, Rojas, Lagos, Jiménez, Azócares,
Oyarzunes, Arces, Sepúlvedas, Díaz,
Álvarez, Rodríguez, Zúñigas, Pereiras, Robles, Fuentes, Sil-
    vas,
hombres que son hombres o granos de pólvora o trigo,
estos son los nombres que firman las páginas de la primavera,
del vino, del duro terrón, del carbón, del arado,
estos son los nombres de invierno, de las oficinas, de los mi-
    nisterios,
hombres de soldados, de agrarios, de pobres y muchos, de
    entrada temprano
y salida abierta en la sombra sin gloria y sin oro:
a estos pertenezco y ahora en la noche de alarma, tan lejos
en medio del mar, en la noche, los llamo y me llamo:
el que cae me cae, el herido me hiere, el que muere me mata.

Oh patria, hermosura de piedras, tomates, pescados, cereales,
    abejas, toneles,

mujeres de dulce cintura que envidia la luna menguante,
metales que forman tu claro esqueleto de espada,
aromas de asados de invierno con luz de guitarras nocturnas,
perales cargados de miel olorosa, chicharras, rumores
de estío relleno como los canastos de las chacareras,
oh amor de rocío de Chile en mi frente, destruye este sueño
    de ira,
devuélveme intacta mi patria pequeña, infinita, callada, so-
    nora y profunda!

Oh ramos del Sur, cuando el tren dejó atrás los limones
y sigue hacia el Sur galopando y jadeando rodando hacia el
    Polo,
y pasan los ríos y entran los volcanes por las ventanillas
y un olor de frío se extiende como si el color de la tierra
    cambiara y mi infancia
tomara su poncho mojado para recorrer los caminos de
    Agosto.

Recuerdo que la hoja quebrada del peumo en mi boca can-
    tó una tonada
y el olor del raulí mientras llueve se abrió como un arca
y todos los sueños del mundo son una arboleda
por donde camina el recuerdo pisando las hojas.

Ay canta guitarra del Sur en la lluvia, en el sol lancinante
que lame los robles quemados pintándoles alas,
ay canta, racimo de selvas, la tierra empapada, los rápidos
    ríos,
el inabarcable silencio de la primavera mojada,
y que tu canción me devuelva la patria en peligro:
que corran las cuerdas del canto en el viento extranjero
porque mi sangre circula en mi canto si cantas,
si cantas, oh patria terrible, en el centro de los terremotos

porque así necesitas de mí, resurrecta,
porque canta tu boca en mi boca y sólo el amor resucita.

No sé si te has muerto y he muerto: esperando saberlo te canto este canto.

Sigue La Barcarola:

LOS INVULNERABLES

Tu mano en mis labios, la seguridad de tu rostro,
el día del mar en la nave cerrando un circuito
de gran lontananza cruzada por aves perdidas,
oh amor, amor mío, con qué pagaré, pagaremos la espiga di-
     chosa,
los ramos de gloria secreta, el amor de tu beso en mis besos,
el tambor que anunció al enemigo mi larga victoria,
el callado homenaje del vino en la mesa y el pan merecido
por la honestidad de tus ojos y la utilidad de mi oficio inde-
     leble:
a quién pagaremos la dicha, en qué nido de espinas
esperan los hijos cobardes de la alevosía,
en qué esquina sin sombra y sin agua las ratas peludas del
     odio
esperan con baba y cuchillo la deuda que cobran al mundo?

Guardamos tú y yo la florida mansión que la ola estremece
y en el aire, en la nave, en la luz del conflicto terrestre,
la firmeza de mi alma elevó su estrellada estructura
y tú defendiste la paz del racimo incitante.
Está claro, al igual que los cauces de la cordillera trepidan
abriéndose paso sin tregua y sin tregua cantando,
que no dispusimos más armas que aquellas que el agua dis-
     puso

en la serenata que baja rompiendo la roca,
y puros en la intransigencia de la catarata inocente
cubrimos de espuma y silencio el cubil venenoso
sin más interés que la aurora y el pan
sin más interés que tus ojos oscuros abiertos en mi alma.

Oh dulce, oh sombría, oh lluviosa y soleada pasión de estos
    años,
arqueado tu cuerpo de abeja en mis brazos marinos,
sentimos caer el acíbar del desmesurado, sin miedo,
con una naranja en la copa del vino de Otoño.

Es ahora la hora y ayer es la hora y mañana es la hora:
mostremos saliendo al mercado la dicha implacable
y déjame oír que tus pasos que traen la cesta de pan y per-
    dices
suenan entreabriendo el espejo del tiempo distante y presente
como si llevaras en vez del canasto selvático
mi vida, tu vida: el laurel con sus hojas agudas y la miel de
    los invulnerables.

SEGUNDO EPISODIO:

SERENATA DE PARÍS

Hermosa es la rue de la Huchette, pequeña como una
    granada
y opulenta en su pobre esplendor de vitrina harapienta:
allí entre los beatniks barbudos en este año del sesenta y cinco
tú y yo transmigrados de estrella vivimos felices y sordos.
Hace bien cuando lejos temblaba y llovía en la patria
descansar una vez en la vida cerrando la puerta al lamento,
soportar con la boca apretada el dolor de los tuyos que es
    tuyo
y enterrar la cabeza en la luz madurando el racimo del llanto.

París guarda en sus techos torcidos los ojos antiguos del
    tiempo
y en sus casas que apenas sostienen las vigas externas
hay sitio de alguna manera invisible para el caminante,
y nadie sabía que aquella ciudad te esperaba algún día
y apenas llegaste sin lengua y sin ganas supiste sin nadie que
    te lo dijera
que estaba tu pan en la panadería y tu cuerpo podía soñar en
    su orilla.

Ciudad vagabunda y amada, corona de todos los hombres,
diadema radiante, sargazo de rotiserías,
no hay un solo día en tu rostro, ni una hoja de otoño en tu
    copa:
eres nueva y renaces de guerra y basura, de besos y sangre,

como si en cada hora millones de adioses que parten
y de ojos que llegan te fueran fundando, asombrosa
y el pobre viajero asustado de pronto sonríe creyendo que lo
    reconoces,
y en tu indiferencia se siente esperado y amado
hasta que más tarde no sabe que su alma no es suya
y que tus costumbres de humo guiaban sus pasos
hasta que una vez en su espejo lo mira la muerte
y en su entierro París continúa caminando con pasos de niño,
con alas aéreas, con aguas del río y del tiempo que nunca en-
    vejecen.

SOLEDAD

Viajero, estoy solo en la rue de la Huchette. Es mañana.
Ni un solo vestigio de ayer se ha quedado pegado en los
    muros.
Se prepara pasado mañana en la noche ruidosa
que pasa enredada en la niebla que sube de las cabelleras.
Hay un vago silencio apoyado por una guitarra tardía.
Y comprendo que en esta minúscula callecita tortuosa
alguien toca a rebato el metal invisible
de una aguda campana que extiende en la noche su círculo
y en el mapa redondo bajando la vista descubro
caminos de hormiga que vienen surcando el otoño y los mares
y van deslizando figuras que caen del mapa de Australia,
que bajan de Suecia en los ferrocarriles de la madrugada de-
    sierta,
pequeños caminos de insecto que horadan el aire y la tierra
y que se desprendieron de España, de Escocia, del Golfo de
    México,
taladrando agujeros que tarde o temprano penetran la tierra
y aquí a medianoche destapa la noche su frío orificio

y asoma la frente de algún colombiano que amarra en el cinto
tu vieja pistola y la loca guitarra de los guerrilleros.
Tal vez Aragón junto a Elsa extendió el archipiélago
de sus sueños poblados por anchas sirenas que peinan la mú-
    sica
y sobre la rue de Varennes una estrella, la única del cielo
    vacío,
abre y cierra sus párpados de diamante y platino,
y más lejos el traje fragante de Francia se guarda en un arca
porque duermen las viñas y el vino en las cubas prepara
la salida del sol, profesor de francés en el cielo.

Hacia Menilmontant, en mis tiempos, hacia los acordeones
del milnovecientosveinte año acudíamos: era seria la cita
con el hampa de pucho en la boca y brutal camisera.
Yo bailé con Friné Lavatier, con Marise y con quién?
Ah con quién? Se me olvidan los nombres del baile
pero sigo bailando la "java" en la impura banlieue
y vivir era entonces tan fácil como el pan que se come en los
    trenes,
como andar en el campo silbando, festejado por la primavera.

VALLEJO

Más tarde en la calle Delambre con Vallejo bebiendo cal-
    vados
y cerveza en las copas inmensas de la calle Alegría,
porque entonces mi hermano tenía alegría en la copa
y alzábamos juntos la felicidad de un minuto que ardía en el
    aire
y que se apagaría en su muerte dejándome ciego.

CREVEL

O tal vez aquí debo recordar en el canto que canto
cuando bajo del tren en Burdeos y compro un periódico
y la línea más negra levanta un puñal y me hiere:
Crevel había muerto, decía la línea, en el horno de gas, su ca-
    beza,
su cabeza dorada, rizada en el horno como el pan para un
    rito,
y yo que venía de España porque él me esperaba
allí en el andén de Burdeos leyendo el cuchillo
con que Francia acogía mi viaje en aquella estación, en el
    frío.

Pasa el tiempo y no pasa París, se te caen
los cabellos, las hojas al árbol, los soldados al odio,
y en la Catedral los apóstoles relucen con la barba fresca,
con la barba fresca de fresa de Francia fragante.
Aunque la desventura galope a tu lado golpeando el tambor
    de la muerte
la rosa marchita te ofrece su copa de líquido impuro
y la muchedumbre de pétalos que arden sin rumbo en la noche
hasta que la rosa tomó con el tiempo entre los automóviles
su color de ceniza quemada por bocas y besos.

ISLA

Amor mío, en la Isla Saint Louis se ha escondido el otoño
como un oso de circo, sonámbulo, coronado por los cascabeles
que caen del plátano, encima del río, llorando:
ha cruzado el crepúsculo el Puente del Arzobispado,
en puntillas, detrás de la Iglesia que muestra sus graves cos-
    tillas,

40

y tú y yo regresamos de un día que no tuvo nada
sino este dolor y este amor dispersado en las calles,
el amor de París ataviado como una estación cenicienta,
el dolor de París con su cinta de llanto enrollada a su insigne
    cintura
y esta noche, cerrando los ojos, guardaremos un día como
    una moneda
que ya no se acepta en la tienda, que brilló y consumó su
    tesoro:
tendidos, caídos al sueño, siguiendo el inmóvil camino,
con un día de más o de menos que agregó a tu vestuario
un fulgor de oro inútil que, sin duda, o tal vez, es la vida.

Sigue La Barcarola:

REGRESO

Ardiente es volver a la espuma que acosa mi casa, al vacío
que deja el océano después de entregar su carreta de truenos,
tocar otra vez con la sangre la ráfaga de frío y salmuera
que muerde la orilla de Chile aventando la arena amarilla.

Es azul regresar a la tierra escogida durante el combate,
levantar la bandera de un hombre sin reino
y esperar de la luz una red que aprisione la trémula plata
de los peces oscuros que pueblan el piélago puro.

Es eterno comer otra vez con el vino ancestral en la copa
la carne arrollada, los tomates de Enero con la longaniza,
el ají cuya fresca fragancia te ataca y te muerde,
y a esta hora de sol las humitas de sal y delicia
desenvueltas de sus hojas de oro como vírgenes en el sacri-
        ficio.

ESTOY LEJOS

Es mía la hora infinita de la Patagonia,
galopo extendido en el tiempo como si navegara,
atravieso los tiernos rebaños cambiando de paso
para no herir las nubes de espeso ropaje,

43

la estepa es celeste y huele el espacio a campana,
a nieve y a sol machacados en el pasto pobre:
me gusta la tierra sin habitaciones, el peso del viento
que busca mi pecho agachando el ramaje de mi alma.

De dónde he caído? Y cómo se llama el planeta que suena
    como el aluminio
bajo las pisadas de un pobre viajero ahogado en el ancho
    silencio?
Y busco en el rumbo sin rumbo de la oceanía terrestre
siguiendo las huellas borradas de las herraduras,
mientras sale la luna como el pan de la boca de un horno
y se va por el campo amarrada al caballo más lento del cielo.

Oh anillo espacioso que mueve contigo su círculo de oro
y que, caminando, te lleva en su centro sin abandonarte,
cuántas sombras cambiaron hostiles estilos de espinas que-
    mantes
mientras tú continuabas al centro del gris hemisferio
o el zorro de pies invisibles que se deslizó resbalando en el
    frío
o la luz que cambió de bandera después de besar tu caballo,
o el follaje entendido en desdichas que acepta tu ausencia
o el postrer colibrí que encendió su pequeño reloj de turquesa
    en el brazo de las soledades
o el trueno que se desarrolla rodando en su propia morada
o las avestruces de pies militares y ojos de colegio
o, más pura que todo, la tierra y sus respiraciones,
la tierra que muestra su piel de planeta, su cuero de amargo
    caballo,
la tierra terrestre con el rastro extirpado de alguna fogata,
sin enfermedades, sin hombres, sin calles, sin llanto ni
    muerte,

con el viento ilustre que limpia de noche y de día la naturaleza
y bruñe la hirsuta medalla de la huracanada pradera,
de las patagonias nutridas por la soledad y el rocío.
Es adentro, en el hueco o la sombra, en la torre agobiada,
que busqué y te encontré suspirando, bien mío,
fue una hora en que todo el baluarte tembló, moribundo,
y en mi pecho la duda y la muerte volaban desnudas:
amor mío, cereza, guitarra de la primavera,
qué dulce tu cuello desviando las flechas del padecimiento
y tu rectitud de figura de proa en el viento salado que impo-
ne su rostro al navío.

Amada, no fue en extensiones y costas, no fue en erizadas
arenas,
no fue tu llegada a un castillo rodeado por la geografía,
sino a una catástrofe pobre que apenas concierne al viajero,
a una grieta que multiplicaba cuchillos en mi desventura,
y así tu salud victoriosa inclinándose sobre el camino
encontró mi dolor y arrancó las espadas de aquella agonía.

Oceana, otra vez con su nombre de ola visito el océano
y viviente y durmiente a mi lado en la luz implacable de
Enero
no sabemos sufrir, olvidamos la piedra enlutada
que pesó sobre un año incitando mi pecho a latir como un
agonizante.

Yo cambié tantas veces de sol y de arte poética
que aún estaba sirviendo de ejemplo en cuadernos de melan-
colía
cuando ya me inscribieron en los nuevos catálogos de los op-
timistas,

y apenas me habían declarado oscuro como boca de lobo o de
    perro
denunciaron a la policía la simplicidad de mi canto
y más de uno encontró profesión y salió a combatir mi des-
    tino
en chileno, en francés, en inglés, en veneno, en ladrido, en
    susurro.

Aquí llevo la luz y la extiendo hacia el mal compañero.

La luz brusca del sol en el agua multiplica palomas, y canto.

Será tarde, el navío entrará en las tinieblas, y canto.

Abrirá su bodega la noche y yo duermo cubierto de estrellas.
    Y canto.

Llegará la mañana con su rosa redonda en la boca. Y yo
    canto.

Yo canto. Yo canto. Yo canto. Yo canto.

REGRESO

Ayer regresamos cortando el camino del agua, del aire y la
    nieve
y al aterrizar en la palma, en la mano de Chile,
vagamente inquietos de la permanencia en confines distantes,
abrumadamente dormidos aún en el sueño del vuelo
sin tocar apenas ni reconociendo la tierra temible y amada,
vino la bondad con su traje gris y la inmóvil grandeza que
    nadie conoce
y tuve a mi vista la estrella que te reconoce

y así con valijas que apenas tocaban los dedos de los adua-
neros,
rodeado por tres automóviles de amigos amados,
entré con Matilde a la sala de los candelabros del mundo,
a mi patria pequeña que enciende sus velas volcánicas
entre el esplendor de las nieves intactas y el coro del agua
marina.

Oh patria al besar tu cintura de avispa volcánica,
al subir la mirada a tus cerros de párpados negros
y bajar a besar en la arena del mar la harapienta hermosura
de tus pies maltratados que suben y bajan por las cordilleras,
recibí de repente el olor de la costa marina
y cuanto dolor iracundo abrumó a mis pequeños hermanos,
miserias que matan con manos más duras que los terremotos,
injusticia vertiendo la sal en la herida, quemando la piedra
del alma,
todo eso voló desprendido en la ráfaga del mar majestuoso,
del único océano, de la rosa gigante que se abre y se cierra en
la orilla
perfumando tu hirsuta belleza con sus movimientos azules.

Aquí está el estilo, sin duda, a ver, salta! Supongo,
corazón de papel, que mi nave cruzaste bailando a la moda,
a la moda de andar, a la moda de ver, y es verdad que mi-
ramos
con los ojos cambiantes y abrimos la puerta con llaves fu-
turas,
pero aquí entre el breñal sacudido y la insólita niebla de
Enero
chamuscada la hierba, sedienta la luna, sin sol y sin nadie la
arena,
y el vaivén de la ola que cava su tumba infinita
y el olor extenso de sal soberana que se desenrolla

como un episodio del frío, cantando con truenos,
aquí, dónde encuentro, pregunto, el consejo?
Y es claro lo leo en la ráfaga, en la huella del ave queltehue,
en la ronca advertencia del mar, en la noche que cuenta y que
      suma,
y en las cicatrices abiertas de los roqueríos
por las quebraduras del hielo de antiguas catástrofes.

La borrasca que enciende la espuma coronando el cenit del
      oleaje
me ha enseñado a limpiar las oscuras herramientas de mi des-
      varío,
me ha enseñado a extender y secar en el viento el linaje de
      mi profecía,
y en estas arrugas de piedra, en la roca quebrada por la eter-
      nidad movediza,
hallé un nido reciente de barro y de paja fragante
con los huevos del mar y las alas de la travesía.

De modo que un beso sin nombre con labios de tierra
o un nombre con labios de sombra marina o la miel de la
      costa salvaje
o los sordos susurros que indican al mes de Septiembre
que la primavera enterrada comienza a arañar con sus uñas el
      féretro
o más bien la lluviosa llamada de un niño que tiene mi rostro
y que encuentro en las dunas, perdido, y que no reconozco,
todo esto, agregando el barril de las malas acciones que
      vuelven y asustan,
o el ramo de nardos inútiles que tal vez se pudrió en una
      puerta
sin que aquella a que fue destinado tocara o besara su aroma,
todo esto es el libro, el manual de mi sabiduría:

y no puedo aprender otras cosas porque llego de la desventura
y ya descargué tantos sacos del color amaranto en la lluvia
que sólo me queda una hora para hacerme feliz: es temprano:
es temprano y es tarde, es temprano: amanece con luna
y en el sol de la noche recojo las mejores espigas del cielo.

AMOR

Dónde estás, oh paloma marina que bajo mis besos caíste
herida y salvaje en la trémula hierba del Sur transparente,
allí donde mueve sus rayos glaciales mi soberanía,
muchacha campestre, amasada con barro y con trigo,
amante que al mar galopando robé con puñal, oh sirena,
y al volcán desafié para amarte trayendo sobre la montura
tus crines que el fuego tiñó elaborando su llama cobriza,
Amada, es tu sombra como la frescura que deja el racimo
sobre la amarilla campana del vasto verano
y es el sumergido calor de tu abrazo en mi cuerpo
la respuesta al rayo y al escalofrío de oro que yo precipito.

Porque dos nupciales con una cereza, con un solo río,
y una sola cama y una sola luna que el viento derriba sobre la
pradera,
son dos claridades que funden sobre sus cabezas el arco del
día
y estrellan la noche con los minerales de su desamparo,
con el desamparo del amor desnudo que rompe una rosa y
construye una rosa,
y construye una rosa que vive, palpita, perece y renace,
porque esa es la ley del amor y no sabe mi boca
sino hablar sin hablar con tu boca en el fin y el comienzo de
todo,
amorosa, mi amor, mi mujer acostada en el trigo,
en las eras de Marzo, en el barro de la Araucanía.

TERCER EPISODIO:

CORONA DEL ARCHIPIÉLAGO
PARA RUBÉN AZÓCAR

Desde Chile llegó la noticia mal escrita por mano de
   Muerte:
el mejor de los míos, mi hermano Rubén está inmóvil
adentro de un nicho, en la tumba mezquina de los ciuda-
   danos.

Bienamada, en la hora del aire recoge una lágrima y llévala
a través del Atlántico negro a su ruda cabeza dormida:
no me traigas noticias: no puedo entender su agonía:
él debió terminar como un tronco quemado en la selva,
erguido en la ilustre armadura de su desarmada inocencia.

Nunca he visto otro árbol como éste, no he visto en el bosque
tal corteza gigante rayada y escrita por las cicatrices:
el rostro de Azócar, de piedra y de viento, de luz machacada,
y bajo la piel de la estatua de cuero y de pelo
la magnánima miel que ninguno posee en la tierra.

Tal vez en el fondo del África, en el mediodía compacto,
una flecha revela en el ave que cae volando la espléndida sal
   del zafiro,
o más bien el arpón ballenero saliendo sangriento de la bestia pura
tocó una presencia que allí preservaba el aroma del ámbar:
así fue en mi camino mi hermano que ahora llorando recubro
con la mínima pompa que no necesitan sus ojos dormidos.

Así fue por aquellos entonces felices y malbaratados
que yo descubrí la bondad en el hombre, porque él me ense-
ñaba,
abriendo sonriendo con cejas de árbol, el nido de abejas in-
victas
que andaba con él susurrando de noche y de día
y entonces, a mí que salía de la juventud envidiosa y suprema,
tocándose el pecho cubierto por su abandonada chaqueta,
me dio a conocer la bondad, y probé la bondad, y hasta
ahora
no he podido cambiar la medida del hombre en mi canto:
nunca más aprendí sino aquello que aprendí de mi hermano
en las islas.

Él paseaba en Boroa, en Temuco con un charlatán sinalefo,
con un pobre ladrón de gallinas vestido de negro
que estafaba, servil y silvestre, a los dueños de fundo:
era un perro averiado y roído por la enfermedad literaria
que, a cuento de Nietzsche y de Whitman, se disimulaba la-
drando
y mi pobre Rubén antagónico soportaba al pedante inclemente
hasta que el charlatán lo dejó de rehén en el pobre hotelucho
sin plata y sin ropa, en honor de la literatura.

Mi hermano! Mi pobre león de las gredas amargas de Lota,
mineral, encendido como los fulgores del rayo en la noche de
lluvia,
mi hermano, recuerdo tus ojos atónitos frente al desacato
y tu pura pureza empeñada por un espantajovargasvilovante.
No he visto unos ojos tranquilos como en ti en ese instante
tus ojos

al pesar el veneno del mundo y apartar con sombría ente-
	reza
el puñal del dolor, y seguir el camino del hombre.

Ay hermano, ay hermano de ciencia escondida, ay hermano
	de todo el invierno en las islas:
ay, hermano, comiendo contigo porotos con choclos recién
	separado
del marfil silencioso que educa el maíz en sus lanzas,
y luego los choros saliendo del mar archipiélago,
las ostras de Ancud, olorosas a mitología,
el vino de invierno bebido sin tregua en la lluvia
y tu corazón desgranándose sobre el territorio.

No es la vida la que hace a los hombres, es antes,
es antes: remoto es el peso del alma en la sangre:
los siglos azules, los sueños del bosque, los saurios perdidos
en la caravana, el terror vegetal del silencio,
se agregaron a ti antes de nada, tejieron con sombra y madera
el asombro del niño que te acompañó por la tierra.

Sé que en México huraño en un día desértico estuvo
tu cabeza agobiada, tu boca con hambre, tu risa hecha polvo.

Y no puedo olvidar que al cruzar el Perú te olvidaron en un
	calabozo.

Mientras de Panamá en la maraña de humedad y raíces,
tú, sabiendo que allí las serpientes tomaban el tórrido sol y
	mordían,
allí te tendiste a morir de regreso a las lianas, y entonces
un milagro salvó tu pellejo para nuestra alegría.

Ya se sabe que un día de Cuba, transformado en donoso
    doncel,
parodiaste con verso y donaire los exilios de aquel Caba-
    llero
que dejó a su galana Madama un recuerdo en un cofre olo-
    roso,
y se sabe que cuando con flor en la mano tu gracia paseaba
por el equinoccio del cuento hilarante y patético,
Fidel con su barba y altura se quedó asombrado al oírte y
    mirarte
y luego abrazándote, con risa y delicia, bajó la cabeza,
porque entre batalla y batalla no hay laurel que cautive al
    guerrero
como tu generosa presencia regalando la magia y la miel,
adorable payaso, capitán del derroche, redentor de la sabi-
    duría.

Si contara, si pudiera contar tus milagros, los cuentos
que colgaste en el cuello del mundo como un collar claro:
dispusiste de un ancho desván con navíos
y muñecas, muñecos que te obedecían apenas
se movían tus cejas pobladas por árboles negros.

Porque tú antes de ser, lo adivino, escogiste tu reino,
tu pequeña estatura, tu cabeza de rey araucano,
y de cuanto más noble y más firme encontraste en la nada
construiste tu cuerpo y tu sueño, pequeño monarca,
agregándole inútiles hebras que siguen brillando
con el oro enlutado de tu travesura grandiosa.

A veces mirándote el ceño con que vigilabas mis pasos,
temiendo por mí como el padre del padre del padre del hijo,
divisé en tu mirada una antigua tristeza

y habría tenido razón la tristeza en tus ojos antiguos:
los cercanos a ti no supieron venerar tu madera celeste
y a menudo pusieron espinas en tu cabellera
y con lanzas de hierro oxidado te clavaron en la desventura.

Pero aquella agua oscura que a la vez encontré en tu mirada
guardaba el silencio normal de la naturaleza
y si habían caído las hojas al fondo del pozo en tinieblas
no pudrieron las hojas difuntas la cisterna de donde surgía
tu solemne bondad florecida por un ramo indomable de
    rosas.

Tengo el As! Tengo el Dos! Tengo el Tres! cantarán y tal vez
    cantaremos:
cantarán, cantaremos al borde del vino de octubre:
cantaremos la inútil belleza del mundo sin que tú la veas,
sin que tú, compañero, respondas riendo y cantando,
cantando y llorando algún día en la nave o más bien a la orilla
del mar de las islas que amaste, marino sonoro:
cantarán, cantaremos, y el bosque del hombre perdido,
la bruma huaiteca, el alerce de pecho implacable
te acompañarán, compañero, en tu canto invisible.

Tengo el As! Tengo el Dos! Tengo el Tres! Pero faltas, her-
    mano!
Falta el rey que se fue para siempre con la risa y la rosa en la
    mano.

Sigue La Barcarola:

LOS AÑOS

Va el tiempo bajando tal vez en mi cuerpo, en tu cuerpo,
      una rosa,
y como un termómetro la edad de la rosa desciende a la
      tierra:
es lenta y delgada la línea de su inexorable angostura
y en la transparencia del día camina la sed en la copa
y se va aminorando la llama del vino en tu cuerpo:
la rosa que estuvo en la altura de tu cabellera
infundiendo la pompa fragante de la primavera
bajó desbordando los ojos con agua de espadas y relámpago
      de aguamarina,
puso en la nariz un temblor de aleteo de vuelo en la sombra
y el rastro que deja el aroma veloz del venado en la selva
todo fue percibido, cazado, quemado y perdido:

la rosa duplica los labios curiosos y ansiosos del enamorado,
levanta los pechos compactos de las azucenas
y crece la dura doncella como un obelisco
hasta derramarse en caricias mojadas por el embeleso
y baja la rosa en el hijo matando a la madre
y vuelve a brillar su destello en la altura del hombre que nace,
hasta que en el tránsito se cae del sexo la rosa
y se tambalea la edad en la noche del frío
hasta que la tierra recoge tu cuerpo que ya no florece.

No cuento el paisaje, no diga el viajero que yo lo examino,
no diga que veo a través de su cuerpo de vidrio la edad que
    sostiene o demuele sus pasos,
yo soy el distante que lleva en sus venas su vida y la mía
y si participo de su alma comparto con él el otoño
y en el movimiento estrellado de las estaciones floridas
resguardo la parte de la primavera que le corresponde.

Fue mi obligación transparente vivir otras vidas,
morir otras muertes y resucitar entre gentes que no me co-
    nocen.

Es ésta la hora del mar circundante y por la ventana com-
    prendo
el agua infinita que no me interesa. Sabed, compañeros,
que los pescadores de erizos salieron y veo su mínima nave
tocar el peñón de Isla Negra alejarse bailando en la espuma
mientras sube y desciende en la ola un aciago debate:
la proa se cae de bruces y cede el vacío
hasta que otra vez se establece en la espuma su nenúfar negro.

Bajó enmascarado al silencio el que era Rodríguez
y ahora con ropa de escualo se llama sigilo y ondula
buscando pegado a la piedra el callado organismo
que late entreabierto pegado a su madre infinita
hasta que el cuchillo separe la vida y la piedra
y el hombre regresa llevando en un saco el molusco san-
    griento.

UN DÍA

Se fue ayer, se hizo luz, se hizo humo, se fue,
y otro día compacto levanta una lanza en el frío:

A quién falto? Qué voz que no escucho me llama llorando
o quién es el perdido en el bosque con una guitarra?
Tal vez huye entre ramas mojadas el puma de pies amarillos
o en la calle San Diego, en Santiago de Chile, una joven ves-
    tida de yedra
al amar entrelaza su abrazo con aquellos jazmines amargos
que treparon en mi adolescencia por mi voz quebrantando
    balcones.

LOS DÍAS

Quién separa el ayer de la noche y del hoy que preñaba su
    copa?
Y qué lámina de agua incesante o de bronce roído o de
    hielo
impidió que acudiera mi pecho a las llamas que me procrea-
    ron?
Y quién soy? le pregunto a las olas cuando en fin navegué sin
    navío
y me pude dar cuenta que el mar lo llevaba yo mismo en los
    ojos.
Sin embargo este día que ardió y consumió su distancia
dejó atrás sus sombríos orígenes, olvidó la uterina tiniebla,
y creció como la levadura levantando hacia arriba los brazos
hasta que disgregó la sustancia de la luz que lo favorecía,
y se fue separando del cielo hasta que convertido otra vez en
    familia del humo
se deshizo en la sombra que otra vez convertida en abeja
salía volando en la luz de otro día radiante y redondo.

RESURRECCIÓN

Yo me disminuyo en cada día que corre y que cae,
como si naciera: es el alba en mi sangre: sacudo la ropa,
se enredan las ramas del roble, corona el rocío con siete dia-
    demas mis recién nacidas orejas,
en el mediodía reluzco como una amapola· en un traje de
    luto,
más tarde la luz ferroviaria que huyó transmigrando los ar-
    chipiélagos
se agarra a mis pies invitándome a huir con los trenes
que alargan el día de Chile por una semana
y cuando saciada la sombra con el luminoso alimento
estática se abre mostrando en su seno moreno la punta de
    Venus
yo duermo hecho noche, hecho niño o naranja,
extinto y preñado del nuevo dictamen del día.

CAMPANAS

Me gustó desde que era nonato escuchar las campanas,
tocar el rocío en el bronce de los campanarios.
y luego creciendo salvaje entre empalizadas con barbas de
    musgo
hundí mis zapatos en barro y barbecho cruzando la lluvia
voló la paloma torcaza que como un brasero de plumas
ardía en su tornasolado linaje de cuello y de cola
y así me crié solitario cantando para quién? Para nadie:
tal vez para aquellas regiones de troncos podridos y lianas,
tal vez para la húmeda tierra que hundía mis pies en un
    tierno sarcófago de hojas caídas,

pero yo no crecí para oídos humanos y cuando cayó una medalla
en mi pecho, otorgada por merecimientos de canto,
miré alrededor, con los ojos busqué para quién era el Premio
y bajé la cabeza, confuso, porque descubrí que era mío
y que mi alma de alguna manera se encontró con los pueblos
  callados
y cantó publicando la pena o la flor de las gentes que no
  conocía.

AMOR

Oh amor, oh victoria de tu cabellera agregando a mi vida
la velocidad de la música que se electrizó en la tormenta
y fuera del ámbito puro que se desarrolla quemando
aquellas raíces cubiertas por la polvareda del tiempo
contigo, amorosa, vivieron el día de lluvia remota
y mi corazón recibió tu latido latiendo.

SONATA

Oh clara de luna, oh estatua pequeña y oscura,
oh sal, oh cuchara que saca el aroma del mundo y lo vuelca
  en mis venas,
oh cántara negra que canta a la luz del rocío,
oh piedra del río enterrado de donde volaba y volvía la
  noche,
oh pámpana de agua, peral de cintura fragante,
oh tesorería del bosque, oh paloma de la primavera,
oh tarjeta que deja el rocío en los dedos de la madreselva,
oh metálica noche de Agosto con argollas de plata en el
  cielo,

oh mi amor, te pareces al tren que atraviesa el otoño en Temuco,

oh mi amada perdida en mis manos como una sortija en la nieve,

oh entendida en las cuerdas del viento color de guitarra

que desciende de las cordilleras, junto a Nahuelbuta llorando,

oh función matinal de la abeja buscando un secreto,

oh edificio que el ámbar y el agua construyeron para que habitara

yo exigente inquilino que olvida la llave y se duerme a la puerta,

oh corneta llevada en la grupa celestial del tritón submarino,

oh guitarra de greda sonando en la paz polvorienta de Chile,

oh cazuela de aceite y cebolla, vaporosa, olorosa, sabrosa,

oh expulsada de la geometría por arte de nube y cadera,

oh máquina de agua, oh reloja de pajarería,

oh mi amorosa, mi negra, mi blanca, mi pluma, mi escoba,

oh mi espada, mi pan y mi miel, mi canción, mi silencio, mi vida.

LA CALLE

También te amo, calle repleta de rostros que arrastran zapatos,

zapatos que rayan la rueda del orbe instalando almacenes,

y vivo en el cauce de un río infinito de mercaderías,

retiro las manos de la devorante ceniza que cae,

que envuelven la ropa que sale del cinematógrafo,

me pego a los vidrios mirando con hambre sombreros que me comería

o alhajas que quieren matarme con ojos de cólera verde

o jabones tan suaves que se hicieron con jugo de luna
o libros de piel incitante que me enseñarían tal vez a morirme
o máquinas ópticas que fotografían hasta tu tristeza
o divanes dispuestos a las seducciones más inoxidables
o el claro aluminio de las cacerolas especializadas en huevos
    y espárragos
o los trajes de obispo que a menudo llevan bolsillos del
    Diablo
o ferreterías amadas por la exactitud de mi alma
o farmacias pálidas que ocultan, como las serpientes, bajo el
    algodón
colmillos de arsénico, dientes de estricnina y ungüentos le-
    tales,
o tapices vinílicos, estocolmos, brocatos, milanos,
terylén, cañamazo, borlón y colchones de todo sosiego
o relojes que van a medirnos y por fin a tragarnos
o sillas de playa plegables adaptables a todo trasero
o telares con ratier, 1,36 Diederich, complicados y abstrac-
    tos,
o vajillas completas o sofás floreados con funda
o implacables espejos que esperan demostrar la venganza del
    agua
o escopetas de repetición tan suavísimas como un hocico de
    liebre
o bodegas que se atiborraron de cemento: y yo cierro los
    ojos:
son los huevos de Dios estos sacos terribles que siguen pa-
riendo este mundo.

AMANECIENDO

Amor mío, al buscarte recién despertado recorrí con mis ma-
    nos tus dedos

sorprendí el alabastro dormido en tu mano a esa hora
y encontré cada uña en mi tacto alargando la sílaba lisa
que forma tu nombre en el cielo estrellado del sol y la luna.
Cada uña en tu mano envolvía un fragmento del sueño en
    tu cuerpo
y con la frescura del ágata cambiaban tus dedos en piedra,
de alguna manera infundada el clamor de tu sangre viviente
en sal circulante, en estatua de nácar fue precipitado
y sólo toqué aquella estrella de cinco esmeraldas dormidas,
suavísimas puntas hundidas en la lentitud de la sombra,
pensando entre sueño y vigilia que se transmutaron siguiendo
    el transcurso del agua en la roca
en frío, en espadas, en cuarzo robado a la tierra nocturna,
al aire del cielo en la noche que desenvainó sus estatuas
y se puso a brillar encendiendo las piedras en la magnitud
    silenciosa.

LA NOCHE

Oh, noche, oh sustancia que cambia tu cuerpo y devuelve a la
    tierra la estrella,
pensé, sacudido entre inciertos temores tocando tus dedos,
pensando en la rosa de sal deslumbrante que había caído del
    cielo.
Oh amor, oh infinito regado por la geología,
oh cuerpo de labios nocturnos que me anticiparon la aurora
con la exactitud de una fruta celeste amparada por la claridad
    del rocío.

LA TIERRA

Antártica patria que desde el racimo oloroso hasta los cerea-
    les,

66

desde la salitrera que esconde la luna enterrada y arriba en el
  frío
los siete episodios del cobre y sus páginas verdes,
extiendes, oh tierra delgada, entre olas de vino y de nieve
tus hijos insignes y desarrapados que cantan en plena agonía.

PAÍS

Pequeño país que sobre los montes huraños y el agua infinita
transcurres llevando entre torvas arrugas la luz mineral y las
  uvas del vino
y de un sitio al otro al chileno moreno y errante
que pica la piedra de su sepultura volcánica
con el pantalón remendado y los ojos heridos.

Ven a visitarme extranjero entre Arica y la Tierra del Fuego:
hace frío en las islas y el mar enarbola el molino de su movimiento,
las habitaciones se encogen al paso del cielo que como un
  caballo irritado
galopa en la noche frenética golpeando los techos del hombre.

Abrió el vendaval la ventana y entró en la cocina buscando
el fuego que cuece las pobres patatas del pueblo perdido.

País, torre erguida en la altura del agrio planeta,
quemado por una corona de crueles relámpagos
y luego entregado a las locomotoras de los terremotos
y luego a la hirviente inmundicia de los arrabales
y luego al desierto que espera y devora al viajero
y luego los mares hirsutos que rompen los ojos de los pescadores

y luego en el campo la sed de la tierra, la sed amarilla,
y luego el carbón que en su cueva aniquila a los héroes negros
y luego la pobre familia atacada por los agujeros
del techo y la ropa, mirando la zapatería,
divisa los pies de los ángeles con zapatos nuevos en el Paraíso.

PRIMAVERA EN CHILE

Hermoso es Septiembre en mi patria cubierto con una corona
    de mimbre y violetas
y con un canasto colgando en los brazos colmado de dones
    terrestres:
Septiembre adelanta sus ojos mapuches matando el invierno
y vuelve el chileno a la resurrección de la carne y el vino.
Amable es el Sábado y apenas se abrieron las manos del Viernes
voló transportando ciruelas y caldos de luna y pescado.

Oh amor en la tierra que tú recorrieras que yo atravesamos
no tuve en mi boca un fulgor de sandía como en Talagante
y en vano busqué entre los dedos de la geografía
el mar clamoroso, el vestido que el viento y la piedra otorgaron a Chile,
y no hallé duraznos de Enero redondos de luz y delicia
como el terciopelo que guarda y desgrana la miel de mi patria.
Y en los matorrales del Sur sigiloso conozco el rocío
por sus penetrantes diamantes de menta, y me embriaga e
    aroma
del vino central que estalló desde tu cinturón de racimos
y el olor de tus aguas pesqueras que te llena de olfato

porque se abren las valvas del mar en tu pecho de plata abun-
    dante,
y encumbrado arrastrando los pies cuando marcho en los
    montes más duros
yo diviso en la nieve invencible la razón de tu soberanía.

PAÍS

Es mi patria y comprendo tu canto y tu llanto
y toco el contorno de tus tricolores guitarras llorando y can-
    tando,
porque soy un puñado de polvo de tu cordillera
y vivo en tu amor el suplicio: de condecorar tus tormentos.

Yo voy a contarte la historia de algunos, de algunas, de
    nadie,
oyendo la lluvia que rompe sus rombos de vidrio y se pierde,
yo voy a contarte la historia de aquél o del hijo de aquél
o de nadie, de todos, porque este destino de greda
nos hace en el horno del pueblo parejos, parientes profun-
    dos:
tenemos cabeza de cántaro y con ojos de buey manzanero
los pies más urgentes, las piernas que cambian de tierra y de
    río,
las manos hambrientas y el color de la avena quemada,
nosotros chilenos de costa y de monte, de lluvia o secano,
somos casi siempre los mismos errantes dispuestos al viaje
    del oro.

UN RELATO

Y ahora a la lluvia redonda color de hemisferio
escucha este cuento de sangre y de oro y de muerte lejana:

69

CUARTO EPISODIO:

FULGOR Y MUERTE
DE JOAQUÍN MURIETA

ÉSTA es la larga historia de un hombre encendido.
Natural, valeroso, su memoria es un hacha de guerra.
Es tiempo de abrir el reposo, el sepulcro del claro bandido
y romper el olvido oxidado que ahora lo entierra.
Tal vez no encontró su destino el soldado y lamento
no haber conversado con él, y con una botella de vino
haber esperado en la Historia que pasara algún día su gran
    regimiento.
Tal vez aquel hombre perdido en el viento hubiera cambiado
    el camino.
La sangre caída le puso en las manos un rayo violento,
ahora pasaron cien años y ya no podemos mover su destino:
así es que empecemos sin él y sin vino en esta hora quieta
la historia de mi compatriota, el bandido honorable don
    Joaquín Murieta.

Es larga la historia que aterra más tarde y que nace aquí
    abajo
en esta angostura de tierra que el Polo nos trajo y el mar y la
    nieve disputan,
aquí entre perales y tejas y lluvia brillaban las uvas chilenas
y como una copa de plata que llena la noche sombría de pá-
    lido vino
la luna de Chile crecía entre boldos, maitenes, albahacas,
    orégano, jazmines, porotos, laureles, rocío,
entonces nacía a la luz del planeta un infante moreno

y en la sombra serena es el rayo que nace, se llama Murieta,
y nadie sospecha a la luz de la luna que un rayo naciente
se duerme en la cuna entre tanto se esconde en los montes la
    luna:
es un niño chileno color de aceituna y sus ojos ignoran el
    llanto.

Mi patria le dio las medallas del campo bravío, de la pampa
    ardiente:
parece que hubiera forjado con frío y con brasas para una
    batalla
su cuerpo de arado y es un desafío su voz y sus manos son dos
    amenazas.

Venganza es el hierro, la piedra, la lluvia, la furia, la lanza,
la llama, el rencor del destierro, la paz crepitante,
y el hombre distante enceguece clamando en la sombra ven-
    ganza,
buscando en la noche esperanza sangrienta y castigo cons-
    tante,
despierta el huraño y recorre a caballo la tierra nocturna.
    Dios mío,
qué busca el oscuro al acecho del daño que brilla en su mano
    cortante?

Venganza es el nombre instantáneo de su escalofrío
que clava la carne o golpea en el cráneo o asusta con boca
    alarmante
y mata y se aleja el danzante mortal galopando a la orilla del
    río.
La llama del oro recorre la tierra de Chile del mar a los
    montes
y comienza el desfile desde el horizonte hacia el Puerto, el
    magnético hechizo

despuebla Quillota, desgrana Coquimbo, las naves esperan en
   Valparaíso.

Creciendo a la sombra de sauces flexibles nadaba en los ríos,
   domaba los potros, lanzaba los lazos,
ardía en el brío, educaba los brazos, el alma, los ojos, y se
   oían cantar las espuelas
cuando desde el fondo del otoño rojo bajaba al galope en su
   yegua de estaño
venía de la cordillera, de piedras hirsutas, de cerros huraños,
   del viento inhumano,
traía en las manos el golpe aledaño del río que hostiga y divide la nieve fragante y yacente
y lo traspasaba aquel libre albedrío, la virtud salvaje que toca
   la frente
de los indomables y sella con ira y limpieza el orgullo de algunas cabezas
que guarda el destino en sus actas de fuego y pureza, y así
   el elegido
no sabe que está prometido y que debe matar y morir en la
   empresa.

Así son las cosas amigo y es bueno aprender y que sepa y co-
   nozca
los versos que he escrito y repita contando y cantando el recuerdo de un libre chileno proscrito
que andando y andando y muriendo fue un mito infinito:
su infancia he cantado al instante y sabemos que fue el caminante muy lejos,
un día mataron al chileno errante, lo cuentan los viejos de
   noche al brasero
y es como si hablara el estero, la lluvia silbante o en el ventis-
   quero llorara en el viento la nieve distante

porque de Aconcagua partió en un velero buscando en el
   agua un camino
y hacia California la muerte y el oro llamaban con voces ardientes que al fin decidieron su negro destino.

Pero en el camino marino, en el blanco velero maulino
el amor sobrevino y Murieta descubre unos ojos oscuros,
se siente inseguro perdido en la nueva certeza:
su novia se llama Teresa y él no ha conocido mujer campesina
como esta Teresa que besa su boca y su sangre, y en el gran
   océano
perdida la barca en la bruma, el amor se consuma y Murieta
   presiente que es éste el amor infinito
y sabe tal vez que está escrito su fin y la muerte lo espera
y pide a Teresa su novia y mujer que se case con él en la
   nave velera
y en la primavera marina Joaquín, domador de caballos,
   tomó por esposa a Teresa, mujer campesina,
y los emigrantes en busca del oro inhumano y lejano celebran
   este casamiento
oyendo las olas que elevan su eterno lamento:
y tal es la extraña ceguera del hombre en el rito de la pasajera alegría:
en la nave el amor ha encendido una hoguera: no saben que
   ya comenzó la agonía.

DIÁLOGO AMOROSO

VOZ DE MURIETA:

Todo lo que me has dado ya era mío
y a ti mi libre condición someto.

Soy un hombre sin pan ni poderío:
sólo tengo un cuchillo y mi esqueleto.

Crecí sin rumbo, fui mi propio dueño
y comienzo a saber que he sido tuyo
desde que comencé con este sueño:
antes no fui sino un montón de orgullo.

Voz de Teresa:

Soy campesina de Coihueco arriba,
llegué a la nave para conocerte:
te entregaré mi vida mientras viva
y cuando muera te daré mi muerte.

Voz de Murieta:

Tus brazos son como los alhelíes
de Carampangue y por tu boca huraña
me llama el avellano y los raulíes.
Tu pelo tiene olor a las montañas.

Acuéstate otra vez a mi costado
como agua del estero puro y frío
y dejarás mi pecho perfumado
a madera con sol y con rocío.

Voz de Teresa:

Es verdad que el amor quema y separa?
Es verdad que se apaga con un beso?

Voz de Murieta:

Preguntar al amor es cosa rara,
es preguntar cerezas al cerezo.
Yo conocí los trigos de Rancagua,
viví como un higuera en Melipilla.
Cuanto conozco lo aprendí del agua,
del viento, de las cosas más sencillas.

Por eso a ti, sin aprender la ciencia,
te vi, te amé y te amo, bienamada.
Tú has sido, amor, mi única impaciencia,
antes de ti no quise tener nada.

Ahora quiero el oro para el muro
que debe defender a tu belleza:
por ti será dorado y será duro
mi corazón como una fortaleza.

Voz de Teresa:

Sólo quiero el baluarte de tu altura
y sólo quiero el oro de tu arado,
sólo la protección de tu ternura:
mi amor es un castillo delicado
y mi alma tiene en ti sus armaduras:
la resguarda tu amor enamorado.

Voz de Murieta:

Me gusta oír tu voz que corre pura

como la voz del agua en movimiento
y ahora sólo tú y la noche oscura.
Dame un beso, mi amor, estoy contento.
Beso a mi tierra cuando a ti te beso.

VOZ DE TERESA:

Volveremos a nuestra patria dura
alguna vez.

VOZ DE MURIETA:

El oro es el regreso.

Husmeando la tierra extranjera desde el alba oscura
hasta que rodó en la llanura la noche en la hoguera
Murieta olfatea la veta escondida galopa y regresa
y toca en secreto la piedra partida la rompe o la besa
y es su decisión celestial encontrar el metal y volverse in-
    mortal
y buscando el tesoro sufre angustia mortal y se acuesta
    cubierto de lodo
con arena en los ojos, con manos sangrantes acecha la gloria
    del oro
y no hay en la tierra distante tan valiente y atroz caminante:
ni sed ni serpiente acechante detienen sus pasos,
bebió fiebre en su vaso y no pudo la noche nevada
cortar su pisada ni duelos ni heridas pudieron con él
y cuando cayó siete veces sacó siete vidas
y siguió de noche y de día el chileno montado en su claro
    corcel.

Detente! le dice la sombra pero el hombre tenía su esposa
esperando en la choza y seguía por la California dorada
picando la roca y el barro con la llamarada
de su alma enlutada que busca en el oro encontrar la alegría
que Joaquín Murieta quería para repartirlo volviendo a su
    tierra,
pero lo esperó la agonía y se halló de repente cubierto de oro
    y de guerra.

Hirvió con el oro encontrado la furia y subió por los montes,
el odio llenó el horizonte con manchas de sangre y lujuria
y el viento delgado cambió su vestido ligero y su voz trans-
    parente
y el yanqui vestido de cuero y capucha buscó al forastero.
Los duros chilenos dormían cuidando el tesoro cansados del
    oro y la lucha,
dormían y en sueños volvían a ser labradores, marinos, mi-
    neros,
dormían los descubridores y envueltos en sombras los enca-
    puchados vinieron,
llegaron de noche los lobos armados buscando el dinero
y en los campamentos murió la picota porque en desamparo
se oía un disparo y caía un chileno muriendo en el sueño,
ladraban los perros, la muerte cambiaba el destierro
y los asesinos en su cabalgata mataron a la bella esposa
de mi compatriota Joaquín y la canta por eso el poeta.

Salió de la sombra Joaquín Murieta sin ver que una rosa de
    sangre tenía
en su seno su amada y yacía en la tierra extranjera su amor
    destrozado,
pero al tropezar en su cuerpo tembló aquel soldado

y besando su cuerpo caído, cerrando los ojos de aquella que
	fue su rosal y su estrella
juró estremecido matar y morir persiguiendo al injusto,
	protegiendo al caído,
y es así como nace un bandido que el amor y el honor con-
	dujeron un día
a encontrar el dolor y perder la alegría y perder mucho más
	todavía,
a jugar, a morir, combatiendo y vengando una herida
y dejar sobre el polvo del oro perdido su vida y su sangre
	vertida.

Dónde está este jinete atrevido vengando a su pueblo, a su
	raza, a su gente?
Dónde está el solitario insurgente, qué niebla ocultó su
	vestuario?
Dónde están su caballo y su rayo, sus ojos ardientes?
Se encendió intermitente, en tinieblas acecha su frente,
y en el día de las desventuras recorre un corcel, la venganza
	va en esa montura:
galopa le dice la arena que tragó la sangre de los desdichados
y alguna chilena prepara un asado escondido para el forajido
	que llega cubierto de polvo y de muerte.

"Entrega esta flor al bandido y besa sus manos y que tenga
	suerte."
"Tú dale, si puedes, esta gallinita", susurra una vieja de
	Angol de cabeza marchita,
"y tú dale el rifle", dice otra, "de mi asesinado marido, aún
	está manchado con sangre de mi bienamado",
y este niño le da su juguete, un caballo de palo, y le dice:
	"Jinete,
galopa a vengar a mi hermano que un gringo mató por la
	espalda" y Murieta levanta la mano

y se aleja violento con el caballito del niño en las manos del
   viento.

Galopa Murieta! La sangre caída decreta que un ser solitario
recoja en su ruta el honor del planeta y el sol solidario
despierta en la oscura llanura y la tierra sacude en los pasos
   errantes
de los que recuerdan amantes caídos y hermanos heridos
y por la pradera se extiende una extraña quimera, un fulgor,
   es la furia de la primavera
y la amenazante alegría que lanza porque cree que son una
   cosa victoria y venganza.

Se apretaron en sus cinturones, saltaron varones en la noche
   oscura
al relampagueo de cabalgaduras, y marcha Joaquín adelante,
con duro semblante dirige la hueste de los vengadores
y caen cabezas distantes y el chisporroteo
del rifle y la luz del puñal terminaron con tantas tristezas:
vestido de luto y de plata Joaquín Murieta camina constante
y no da cuartel este caminante a los que incendiaron los
   pueblos con lava quemante,
a los que arrasaron envueltos en odio y pisotearon banderas
   de pueblos errantes.

Oh nuevos guerreros, que surja en la tierra otro dios que el
   dinero,
que muera el que mata el latido de la primavera y corona con
   sangre la cuna del recién nacido,
que viva el bandido Joaquín Murieta, el chileno de estirpe
   profeta
que quiso cortar el camino de los iracundos guerreros
   groseros

que todo lo tienen y todo lo quieren y todo maltratan y
matan.

Adiós compañero bandido, se acerca tu hora, tu fin está claro
y oscuro,
se sabe que tú no conoces como el meteoro el camino seguro,
se sabe que tú te desviaste en la cólera como un vendaval
solitario,
pero aquí te canto porque desgranaste el racimo de ira y se
acerca la aurora,
se acerca la hora en que el iracundo no tenga ya sitio en el
mundo
y una sombra secreta no habrá sido tu hazaña, Joaquín
Murieta.

Y dice la madre: "Yo soy una espiga sin grano y sin oro,
no existe el tesoro que mi alma adoraba, colgado en la viga
mi Pedro, hijo mío, murió asesinado y lo lloro
y ahora mis lágrimas Murieta ha secado con su valentía".
Y la otra enlutada y bravía mostrando el retrato de su
hermano muerto
levanta los brazos enhiestos y besa la tierra que pisa el caballo
de Joaquín Murieta.

Pregunta el poeta: "No es digno este extraño soldado de luto
que los ultrajados le otorguen el fruto del padecimiento?"
No sé, pero siento tan lejos de aquel compatriota lejano
que a través del tiempo merece mi canto y mi mano
porque defendió mostrando la cara, los puños, la frente,
la pobre alegría de la pobre gente saqueada por el invasor
inclemente y amargo
y sale del largo letargo en la sombra un lucero
y el pueblo dormido despierta ligero siguiendo la huella
escarlata de aquel guerrillero,

del hombre que mata y que muere siguiendo una estrella.
Por eso pregunta el poeta si alguna cantata requiera
aquel caballero bandido que dio al ofendido una rosa
    concreta:
justicia se llama la ira de mi compatriota Joaquín Murieta.

CASI SONETO

Pero, ay, aquella tarde lo mataron:
fue a dejar flores a su esposa muerta
y de pronto el heroico acorralado
vio que la vida le cerró la puerta.

De cada nicho un yanqui disparaba,
la sangre resbalaba por sus brazos
y cuando cien cobardes dispararon
un valiente cayó con cien balazos.

Y cayó entre las tumbas desgranado
allí donde su amor asesinado,
su esposa, lo llamaba todavía.

Su sangre vengadora y verdadera
pudo besar así a su compañera
y ardió el amor allí donde moría.

El oro recibe a este muerto de pólvora y oro enlutado,
el descabellado, el chileno sin cruz de soldado, ni sol, ni
    estandarte,
el hijo sangriento y sangrante del oro y la furia terrestre,
el pobre violento y errante que en la California dorada
siguió alucinante una luz desdichada: el oro su leche nutricia

le dio, con la vida y la muerte, acechado y vencido por oro
y codicia.

Nocturno chileno arrastrado y herido por las circunstancias
del daño incesante,
el pobre soldado y amante sin la compañera ni la compañía,
sin la primavera de Chile lejano ni las alegrías que amamos
y que él defendía
en forma importuna atacando en su oscuro caballo a la luz de
la luna:
certero y seguro este rayo de enero vengaba a los suyos.
Y muerto en su orgullo si fue bandolero no sé ni me importa,
ha llegado la hora
de una gran aurora que todas las sombras sepulta y oculta
con manos de rosa fragante,
la hora, el minuto en que hallamos la eterna dulzura del
mundo y buscamos
en la desventura el amor que sostiene la cúpula de la primavera.
Y Joaquín Murieta no tuvo bandera sino sólo un dolor
asesino. Y aquel desdichado
halló asesinado su amor por enmascarados y así un extranjero que salió a vivir y vencer
en las manos del oro se tornó bandolero y llegó a padecer,
a matar y morir.

HABLA LA CABEZA DE MURIETA

Nadie me escucha, puedo hablar por fin,
un niño en las tinieblas es un muerto.
No sé por qué tenía que morir
para seguir sin rumbo en el desierto.

De tanto amar llegué a tanta tristeza,
de tanto combatir fui destruido
y ahora entre las manos de Teresa
dormirá la cabeza de un bandido.

Fue mi cuerpo primero separado,
degollado después de haber caído,
no clamo por el crimen consumado,
sólo reclamo por mi amor perdido.

Mi muerta me esperaba y he llegado
por el camino duro que he seguido
a juntarme con ella en el estado
que matando y muriendo he conseguido.

Soy sólo una cabeza desangrada,
no se mueven mis labios con mi acento,
los muertos no debían decir nada
sino a través de la lluvia y del viento.

Pero, ¿cómo sabrán los venideros,
entre la niebla, la verdad desnuda?
De aquí a cien años, pido, compañeros,
que cante para mí Pablo Neruda.

No por el mal que haya o no haya hecho,
ni por el bien, tampoco, que sostuve,
sino porque el honor fue mi derecho
cuando perdí lo único que tuve.

Y así en la inquebrantable primavera
pasará el tiempo y se sabrá mi vida,

no por amarga menos justiciera
no la doy por ganada ni perdida.

Y como toda vida pasajera
fue tal vez con un sueño confundida.
Los violentos mataron mi quimera
y por herencia dejo mis heridas.

Piedad a su sombra! Entreguemos la rosa que llevan a su
    amada dormida,
a todo el amor y al dolor y a la sangre vertida, y en las
    puertas del odio esperemos
que regrese a su cueva la oscura violencia y que suba la clara
    conciencia
a la altura madura del trigo y el oro no sea testigo de crimen
    y furia y el pan de mañana en la tierra
no tenga el sabor de la sangre del hombre caído en la guerra.

Ya duerme el dormido y reposa en su fosa la rosa.
Ya yace el bandido acosado y caído: descansa en la paz de
    su esposa.
Y sube la luna escarlata por las escaleras del cielo.
La noche se traga al que mata y al muerto y ruedan por su
    terciopelo
las estrellas frías, la sombra extranjera se llena de espigas
    de plata
y aquí terminó mi cantata en la paz de la muerte y la noche.

No es mío el reproche por su cabalgata de fuego y espanto.
Quién puede juzgar su quebranto? Fue un hombre valiente y
    perdido
y para estas almas ardientes no existe un camino elegido:
el fuego los lleva en sus dientes, los quema, los alza, los
    vuelve a su nido

y se sostuvieron volando en la llama: su fuego los ha consumido.

Murieta violento y rebelde regresa en mi canto al metal y a
    las minas de Chile,
ya su juramento termina entre tanta venganza cumplida,
la patria olvidó aquel espanto y su pobre cabeza cortada
    y caída
es sólo la sombra del sueño distante y errante que fue su
    romántica vida.

Regresa y descansa y galopa en el aire hacia el Sur su caballo
    escarlata;
los ríos natales le cantan con boca de plata y le canta también
    el poeta.

Fue amargo y violento el destino de Joaquín Murieta.

Desde este minuto el Pueblo repite como una campana enterrada mi larga cantata de luto.

Sigue La Barcarola:

Amada perdona el papel que acumula la vida en tu casa,
    en mi casa,
el blanco papel enemigo que como el cabello en la peluquería
o como un otoño de impúdica nieve o follaje gastado y caído
reúne un ejército que asoma sus pálidas armas encima y de-
    bajo de nuestra república.

La inerme hoja blanca en que nunca andará mi escritura,
la dócil revista de las embajadas que parecía una insólita
    oveja
si no la siguiera el unánime e idéntico número de cada
    semana,
el libro de versos de la jovencita panamericana que lleva
    tal vez en lo alto de su cabellera
la selva enigmática de la poesía mojada en la lluvia de
    Buenaventura
y que por desgracia confió a los cuadernos los pobres ribetes
    que llegan peinados
por este coiffeur surrealista y por ende un perverso rumiante.

Mas abunda el correo con sobres y citas y negras sesiones de
    parlamentarios
y partes de boda o de muerte que no compartimos,
el empapelado levanta su blanca bandera manchada de hastío
y sobrevivimos nadando entre sobres y libros desencua-
    dernados.

DIURNO

El sol organiza tal vez en la noche su ramo amarillo
y por la ventana tropieza con la teoría de cuanto se imprime
y desalentado tal como si entrara en la sala de un triste
      hospital de Chicago
regresa al incendio del tigre en la selva y baila en la púrpura
      de las amapolas,
pero, sol errante no sólo tus ojos se escapan del lomo de la
      enciclopedia,
sino de mis pobres arterias sombrías que como raíces exploran
      la sombra
pidiendo que las condecore algún día la luz quebrantada de
      las cordilleras.

Amor, amor mío, la plebe de puros papeles prensados galopa,
circunda, ensimisma, susurra y sepulta.
Ay cuanto camino erizado de flores fogosas y desfiladeros
nos llama entretanto incitante como una granada furiosa
que huyó desgranando rubíes en la polvareda del alto verano.

EL MAR

Las moscas de Abril en el vientre inferior del otoño
se multiplicaron saliendo a volar con sus alas de agua
con sus gotas de agua amanecen en la transparencia
rayando la luz o dejando inmóvil el aire vacío.
Las algas se pudren vestidas de hierro mojado
y sobre las ávidas rocas que el trueno estremece
en el estupor del otoño vacila un certamen de ovarios.
Porque sobre el rostro de piedra que el mar atormenta y
      destruye

las máscaras verdes del alga marina, la tapicería del frío,
subyugan a la eternidad de la piedra, al mar, al conflicto.

EL MAR

Allí combatieron meciéndose en la turbulencia
los gérmenes, la espora turgente, las gomas del alga,
los huevos de un mar diminuto que hierve a la orilla del mar,
hasta que la red quebrantada rebalsa en la arena
los vástagos rotos, los tristes corales, los nardos del frío,
y allí se alimenta el otoño, el espacio, la costa litúrgica,
con la podredumbre menguante y creciente que arroja a la
    arena el enlace infinito.

EL TIEMPO

Otoño de fábula, oh vientre remoto del mar apagado,
latido de estrella redonda repleta de impuros racimos,
oh resurrecciones del ánfora, oh planta pletórica,
oh inmensa arboleda compacta que mece la luna en su copa,
comienza el desfile delgado de las migraciones, extensa
es la cóncava niebla y en ella va el coro y la flecha:
es la procesión procelaria, es el Polo que emigra en sus alas.
Parecen inmóviles aves durmiendo en la raya invisible de los
    hemisferios,
progresan colgadas al cielo, al rumor de este mar oxidado,
y en el aire navega la línea impecable de flechas hambrientas,
los plumajes que hasta ayer sostenían su estirpe de luto
sobre la primavera del témpano, como una aureola de nieve
    sombría.

De allí, de mi infierno raído, de los iracundos harapos de la
    Patagonia,
del negro desorden voló esta bandada de espinas, de plumas,
    de pájaros,
la ola desnuda en el cielo, la luz dirigida, la lanza formada en
    el viento
por la necesaria grandeza de las unidades unidas.

ESPACIOS

De allí, del honor del océano y de la Patagonia agachada
por el vendaval, por el peso de la soledad rencorosa,
volando va el vuelo, la furia y el orden, longitudinal y severo,
volando el transcurso quemando la dura distancia, tragando
    la niebla:
las aves del mar en su triángulo atraviesan el cielo como esca-
    lofrío
y en su movimiento reúnen la tierra salvaje del Sur de mi pa-
    tria
con mi corazón desbordado que espera en la torre del humo
el signo del hielo magnético, el Sur del dolor borrascoso,
la hipnótica herencia olvidada entre el pasto y las cabalga-
    duras.

EL VIAJE

Labré en la mejilla de un rápido estío la cruz transparente
de un copo de nieve, fue un viaje hacia la desmesura:
los actos humanos hicieron las cosas más altas del orbe
y allí con el frío de mi territorio y el mar rectilíneo

llegué, sin saber, ni poder, ni cantar, porque pesa el racimo de
    la muchedumbre.

Se dice o dijeron o dije que el bardo barbudo y arbóreo
de Brooklin o Camden, el herido de la secesión divisoria,
vivía tal vez en mí mismo extendiendo raíces o espadas o
    trigo
o ferruginosas palabras envueltas en cal y hermosura:
tal vez, dije, yo, sin orgullo, porque se determina viviendo
que de una manera lluviosa o metálica la sabiduría
dispuso seguir existiendo o muriendo entre las criaturas te-
    rrestres
y porque no eres tú, no eres yo quien recibe el encargo escon-
    dido
y sin ver ni saber continúa creciendo mucho más, mucho más
    que tu vida o mi vida.

QUINTO EPISODIO:

LAS CAMPANAS DE RUSIA

Andando, moviendo los pies sobre un ancho silencio de
     nieve
escúchame ahora, amor mío, un suceso sin rumbo:
estaba desierta la estepa y el frío exhibía sus duras alhajas,
la piel del planeta brillaba cubriendo la espalda desnuda de
     Rusia
y yo en el crepúsculo inmenso entre los esqueletos de los abe-
     dules,
andando, sintiendo el espacio, pesando el latido de las so-
     ledades.

Entonces salió del silencio la voz de la noche terrestre,
una voz, otra voz, o el total de las voces del mundo:
era bajo y profundo el estímulo, era inmenso el metal de la
     sombra,
era lento el caudal de la voz misteriosa del cielo,
y subía en la altura redonda aquel golpe de piedra celeste
y bajaba aquel río de plata sombría cayendo en la sombra
y es así como yo, caminante, escuché las campanas de Rusia
desatar entre el cielo y la sombra el profundo estupor de su
     canto.

Campanas, campanas del orbe infinito, distantes
en la gravedad del invierno que oscila clavado en el Polo
como un estandarte azotado por esta blancura furiosa,
campanas de guerra cantando con ronco ademán en el aire

los hechos, la sangre, la amarga derrota, las casas quema-
    das,
y luego la luz coronada por las victoriosas banderas.

Yo dije a la racha, a la nieve, al destello, a mí mismo, a las
    calles de barro con nieve:
la guerra se fue, se llevó nuestro amor y los huesos quemados
cubrieron la tierra como una cosecha de atroces semillas
y oí las campanas remotas tañendo en la luz sumergida
como en un espejo, como en una ciudad sepultada en un lago
y así el campanario furioso guardó en su tremendo tañido,
si no la venganza, el recuerdo de todos los héroes ausentes.

De cada campana caía el follaje del trueno y del canto
y aquel movimiento de hierro sonoro volaba a la luz de la
    luna nevada,
barría los bosques amargos que en un batallón de esqueletos
erguían las lanzas inmóviles del escalofrío
y sobre la noche pasó la campana arrastrando como una
    cascada
raíces y rezos, entierros y novias, soldados y santos,
abejas y lágrimas, cosechas, incendios y recién nacidos.

Desde la cabeza del Zar y su solitaria corona forjada en la
    niebla
por medioevales herreros, a fuego y a sangre,
voló una esmeralda sangrienta desde el campanario
y como el ganado en la lluvia el vapor y el olor de los sier-
    vos rezando en la iglesia,
acompañó a la corona de oro en el vuelo de la campanada te-
    rrible.

Ahora a través de estas roncas campanas divisa el relámpago:
la revolución encendiendo el rocío enlutado de los abedules:

la flor estalló estableciendo una gran muchedumbre de pétalos rojos
y sobre la estepa dormida cruzó un regimiento de rayos.

Oigamos la aurora que sube como una amapola
y el canto común de las nuevas campanas que anuncian el sol
de Noviembre.

Yo soy, compañera, el errante poeta que canta la fiesta del
mundo,
el pan en la mesa, la escuela florida, el honor de la miel, el
sonido del viento silvestre,
celebro en mi canto la casa del hombre y su esposa, deseo
la felicidad crepitante en el centro de todas las vidas
y cuanto acontece recojo como una campana y devuelvo a la
vida
el grito y el canto de los camapanarios de la primavera.

A veces perdona si la campanada que cae de mi alma nocturna
golpea con manos de sombra las puertas del día amarillo,
pero en las campanas hay tiempo y hay canto sellado que
espera soltar sus palomas
para desplegar la alegría como un abanico mundial y sonoro.

Campanas de ayer y mañana, profundas corolas del sueño del
hombre,
campanas de la tempestad y del fuego, campanas del odio y
la guerra,
campanas del trigo y de las reuniones rurales al borde del río,
campanas nupciales, campanas de paz en la tierra,
lloremos campanas, bailemos campanas, cantemos campanas
por la eternidad del amor, por el sol y la luna y el mar y la
tierra y el hombre.

Sigue La Barcarola:

CLARO DE SOL

Pero ahora no fue el enemigo que acecha montado en su es-
    coba amarilla,
cubierto como un puercoespín con las púas del odio:
ahora entre hermanos nacieron racimos tortuosos
y desarrollaron los vinos amargos, mezclando mentira y vi-
    leza,
hasta preparar la sospecha, la duda, las acusaciones:
una gelatina asfixiante de transpiración literaria.

No puedo volver la cabeza y mirar la manada perdida.

Pasé entre los vivos haciendo mi oficio, y me voy de regreso
    a la lluvia
con algunos claveles y el pan que elaboran mis manos.

Yo busqué la bondad en el bueno y en el malo busqué la bon-
    dad
y busqué la bondad en la piedra que lleva al suplicio
y encontré la bondad en la cueva en que vive el halcón
y busqué la bondad en la luna cubierta de harina campestre
y encontré la bondad donde estuve: ese fue mi deber en la
    tierra.

LA BARCAROLA

(El viento frío corre compacto como un pez
y golpea los tallos de la avena. A ras del suelo vive
un movimiento múltiple y delgado. El día está desnudo.
El fulgor de noviembre como una estalactita
lisa y azul decide la pompa del estío.
Es verano. Y las lanzas del viento interminable
perforan el panal del espacio amarillo:
olvido al ver correr la música en la avena
la bóveda implacable del mediodía.
                                Escucha,
mujer del sol, mi pensamiento. Toca
con tus pies el temblor fugitivo del suelo.
Entre la hierba crece mi rostro contra el verde,
a través de mis ojos cruzan las espadañas
y bebo con el alma velocidad y viento.)

Pero yo, el ciudadano de un tiempo raído y roído, de calles
    derechas,
que vi convertirse en incendio, en detritus, en piedras quema-
    das, en fuego y en polvo,
y luego volver de la guerra al soldado con muertes arriba y
    abajo,
y otra vez levantar la ciudad desdichada pegando cemento a
    las ruinas
y ventana y ventana y ventana y ventana y ventana
y otra puerta otra puerta otra puerta otra puerta otra puerta
hasta el duro infinito moderno con su infierno de fuego cua-
    drado,
pues la patria de la geometría sustituye a la patria del hom-
    bre.

Viajero perdido, el regreso implacable, la victoria de piernas
    cortadas
la derrota guardada en un cesto como una manzana diabó-
    lica:
este siglo en que a mí me parieron también, entre tantos que
    ya no alcanzaron,
que cayeron, Desnos, Federico, Miguel, compañeros
sin tregua a mi lado en el sol y en la muerte,
estos años que a veces al clavar la bandera y cantar con or-
    gullo a los pueblos
me apuntaron con saña los mismos que yo defendí con mi
    canto
y quisieron tirarme a la fosa mordiendo mi vida
con las mismas feroces mandíbulas del tigre enemigo.

(Los inseguros temen la integridad, golpean
entonces mis costados con pequeños martillos,
quieren asegurar el sitio que les toca,
porque miedo y soberbia siempre estuvieron juntos
y sus acusaciones son sus medallas únicas.)
(Temen que la violencia desintegre sus huesos ·
y para defenderse se visten de violencia.)

(Vea el testigo mudo de pasado mañana,
recoja los pedazos de la torre callada
y cuanto me tocó de la crueldad inútil.
Comprenderá? Tal vez. Los tambores
estarán rotos, y la bocina estridente
será polvo en el polvo.
                    La dicha te acompañe,
compañero, la dicha, patrimonio futuro
que heredarás de nuestra sangre encarnizada!)

En mi barcarola se encuentran volando los clavos del odio

con el arroz negro que los envidiosos me dan en su plato
y debo estudiar el lenguaje del cuervo, tocar el plumaje,
mirar en los ojos de los insaciables y los insaciados
y en el mismo páramo de las inmundicias terrestres
arrojar las censuras de ahora y las adulaciones de entonces.

Cantando entre escorias el canto reluce en la copa de mi alma
y tiñe con luz de amaranto el crepúsculo aciago,
yo solo sostengo la copa de sangre y la espada que canta en la
      arena
y pruebo la sal en mis labios, la lluvia en mi lengua y el
      fuego recibo en mis ojos,
cantando sin prisa ni pausa, coronado por los ventisqueros.

Porque arriba y en torno de mí se sacude como una bandera
longitudinal, el capítulo puro de mi geografía,
y desde Taltal platinado por la camanchaca salobre
hasta Ruca Diuca cubierto por enredaderas y sauces llorones,
yo voy extendiendo entre montes y torres calcáreas mi verti-
      ginoso linaje,
sin duda acosado por la temblorosa fragancia del trébol,
tal vez inherente producto del bosque en la lluvia en invierno
por las carreteras mojadas en donde pasó una culebra vestida
      de verde,
de todas maneras, sin ser conducido por las aventuras del río
      con su atallón transparente
recorro las tierras contando los pájaros, las piedras, el agua,
y me retribuye el Otoño con tanto dinero amarillo
que lloro de puro cantor derramando mi canto en el viento.

SEXTO EPISODIO:

R. D.

I. CONVERSACIÓN MARÍTIMA

Encontré a Rubén Darío en las calles de Valparaíso,
esmirriado aduanero, singular ruiseñor que nacía:
era él una sombra en las grietas del puerto, en el humo ma-
    rino,
un delgado estudiante de invierno desprendido del fuego de
    su natalacio.

Bajo el largo gabán tiritaba su largo esqueleto
y lleva bolsillos repletos de espejos y cisnes:
había llegado a jugar con el hambre en las aguas de Chile,
y en abandonadas bodegas o invencibles depósitos de merca-
    derías,
a través de almacenes inmensos que sólo custodian el frío
el pobre poeta paseaba con su Nicaragua fragante, como si
    llevara en el pecho
un limón de pezones azules o el recuerdo en redoma amarilla.
Compañero, le dije: la nave volvió al fragoroso estupor del
    océano,
y tú, desterrado de manos de oro, contempla este amargo edi-
    ficio:
aquí comenzó el universo del viento
y llegan del Polo los grandes navíos cargados de niebla mor-
    tuoria.
No dejes que el frío atormente tus cisnes, ni rompa tu espejo
    sagrado,

107

la lluvia de junio amenaza tu suave sombrero,
la noche de antárticos ojos navega cubriendo la costa con su
    matrimonio de espinas,
y tú, que propicias la rosa que enlaza el aroma y la nieve,
y tú, que originas en tu corazón de azafrán la burbuja y el
    canto clarísimo,
reclama un camino que corte el granito de las cordilleras
o súmete en las vestiduras del humo y la lluvia de Valparaíso.

Ahuyenta las nieblas del Sur de tu América amarga
y aunque Balmaceda sostenga sus guantes de plata en tus ma-
    nos,
escapa montando en la racha de tu serpentina quimera!
Y corre a cantar con tu río de mármol la ilustre sonata
que se desenvuelve en tu pecho desde tu Nicaragua natal!

Huraño era el humo de los arsenales, y olía el invierno
a desenfrenadas violetas que se desteñían manchando el mar-
    chito crepúsculo:
tenía el invierno el olor de una alfombra mojada por años de
    lluvia
y cuando el silbato de un ronco navío cruzó como un cón-
    dor cansado el recinto de los malecones,
sentí que mi padre poeta temblaba, y un imperceptible la-
    mento
o más bien vibración de campana que en lo alto prepara el
    tañido
o tal vez conmoción mineral de la música envuelta en la
    sombra,
algo vi o escuché porque el hombre me miró sin mirarme ni
    oírme.

Y sentí que subió hasta su torre el relámpago de un esca-
    lofrío.

Yo creo que allí constelado quedó, atravesado por rayos de
    luz inaudita
y era tanto el fulgor que llevaba debajo de su vestimenta
    raída
que con sus dos manos oscuras intentaba cubrir su linaje.
Y no he visto silencio en el mundo como el de aquel hom-
    bre dormido,
dormido y andando y cantando sin voz por las calles de Val-
    paraíso.

II. LA GLORIA

Oh clara! Oh delgada sonata! Oh cascada de clan cristalino!

Surgió del idioma volando una ráfaga de alas de oro
y entonces la niebla del mundo retrocede a la infame bodega
y la claridad del panal adelanta un torrente de trinos
que decretan la ley de cristal, el racimo de nieve del cisne:
el pámpano jádico ondula sus signos interrogativos
y Flora y Pomona descartan los deshilachados gabanes
sacando a la calle el fulgor de sus tetas de nácar marino.

Oh gran tempestad del Tritón encefálico! Oh bocina del
    cielo infinito!

Tembló Echegaray enfundando el paraguas de hierro enlozado
que lo protegió de las iras eróticas de la primavera
y por vez primera la estatua yacente de Jorge Manrique des-
    pierta:

sus labios de mármol sonríen y alzando una mano enguan-
tada
dirige una rosa olorosa a Rubén Darío que llega a Castilla e
inaugura la lengua española.

III. LA MUERTE EN NICARAGUA

Desfallece en León el león y lo acuden y lo solicitan,
los álbumes cargan las rosas del emperador deshojado
y así lo pasean en su levitón de tristeza
lejos del amor, entregado al coñac de los filibusteros.

Es como un inmenso y sonámbulo perro que trota y cojea
por salas repletas de conmovedora ignorancia
y él firma y saluda con manos ausentes: se acerca la noche detrás de los vidrios,
los montes recortan la sombra y en vano los dedos fosfóricos
del bardo pretenden la luz que se extingue: no hay luna, no
llegan estrellas, la fiesta se acaba.

Y Francisca Sánchez no reza a los pies amarillos de su mino-
tauro.

Así, desterrado en su patria mi padre, tu padre, poetas, ha
muerto.

Sacaron del cráneo sus sesos sangrantes los crueles enanos
y los pasearon por exposiciones y hangares siniestros:
el pobre perdido allí solo entre condecorados, no oía gas-
tadas palabras,
sino que en la ola del ritmo y del sueño cayó al elemento:
volvió a la sustancia aborigen de las ancentrales regiones.

Y la pedrería que trajo a la historia, la rosa que canta en el
    fuego,
el alto sonido de su camapanario, su luz torrencial de zafiro
volvió a la morada en la selva, volvió a sus raíces.

Así fue como el nuestro, el errante, el enigma de Valparaíso
el benedictino sediento de las Baleares,
el prófugo, el pobre pastor de París, el triunfante perdido,
descansa en la arena de América, en la cuna de las esme-
    raldas.

Honor a su cítara eterna, a su torre indeleble!

Sigue La Barcarola:

SOLEDADES

Estaba redonda la luna y estático el círculo negro
del acribillado silencio regido por un palpitante plantel:
el lácteo infinito que cruza como un río blanco la sombra:
las ubres del cielo esparcieron la extensa sustancia o Andró-
meda
y Sirio jugaron dejando sembrado de semen celeste la noche del Sur.

Fragantes estrellas abiertas volando sin prisa y atadas
a la misteriosa consigna del viaje de los universos,
avispas metálicas, eléctricos números, prismáticas rosas con
pétalos de agua o de nieve,
y allí fulgurando y latiendo la noche electrónica desnuda y
vestida, poblada y vacía,
llena de naciones y páramos, planetas y un cielo detrás de otro
cielo,
allí, incorruptibles brillaban los ojos perdidos del tiempo con
los utensilios del orbe,
cocinas con fuego, herraduras que vieron rodar al sombrío caballo, martillos, niveles, espadas,
allí circulaba la noche desnuda a pesar del austral atavío, de
sus amarillas alhajas.
A quién pertenece mi frente, mis pies o mi examen remoto?

De qué me sirvió el albedrío, la ronca advertencia de la
    voluntad enterrada?
Por qué me disputan la tierra y la sombra y a qué materia-
    les que aún no conozco
están destinados mis huesos y la destrucción de mi sangre?

Y yo, estremecido en el viaje, con el corazón constelado
bajé la cabeza y cerrando los ojos guardé lo que pude,
un negro fragmento del hierro nocturno, un jazmín pene-
    trante del cielo.

Y aún más misterioso como un nacimiento infinito de abejas
el día prepara sus huevos de oro, sus firmes panales dispone
    en el útero oscuro del mundo
y en la claridad, sobre el mar despertó la ballena bestial y
    pintó con un negro pincel
una línea nocturna en la aurora que sale del mar temblorosa
y camina en el laberinto el fermento del tifus que está encar-
    celado
y salen del baño a la calle los pies simultáneos de Montevideo
o bajan escalas en Valparaíso las ropas azules de la muche-
    dumbre
hacia los mercados y las oficinas, los embarcaderos, farma-
    cias, navío
hacia la razón y la duda, los celos, la tierna rutina de los ino-
    centes:
un día, un quebranto entre dos anchas noches copiosas de es-
    trellas o lluvia,
una quebradura de sol soberano que desencadena explosiones
    de espigas.

LORD COCHRANE DE CHILE

I. PRÓLOGO

La voz de Lord Cochrane:

*"Un teniente que pierde un brazo recibe una pensión de 91
        libras.
Un capitán que pierde un brazo recibe 41 libras.
Un teniente que pierde una pierna, 40 libras.
Un teniente que pierde ambas piernas en batalla recibe 80 libras.
"Pero,
Lord Arden goza de una sinecura de 20.358 libras esterlinas.
Lord Campden recibe 20.536 libras.
Lord Buckingham, 20.683 libras.
Es decir,
que lo que se les da a todos los heridos de la flota británica
y a las viudas e hijos de los muertos en combate
ni siquiera alcanza a la sinecura de Lord Arden.
Los Welleslley reciben 34.720 libras al año.
Es decir,
reciben una suma
igual a 426 pares de piernas de tenientes
y la sinecura de Lord Arden equivale a 1.022 brazos
de capitán de navío!"*

"Cochrane, esto es una insolencia — la pagarás!"

II. EL PROCESO

Vive la niebla como un gran octopus hinchado de gas amarillo
y cae su gelatinoso ramal enredando la insigne cabeza.
Es Londres, la Casa Redonda y Justicia es la boca del pulpo.
La bestia desliza por calles de sombra sus brazos, sus pasos,
  sus pies resbalosos.
buscando a Tomás, el Marino, buscando su cuello desnudo:
porque la Justicia agoniza en su Casa Redonda y exige alimento,
alimentos del mar, caballeros del agua y del fuego.

La Justicia dorada te busca y tiene hambre de carne marina.

Tomás, marinero, levanta tu espada de guerra!
Descarga tu brazo salado y divide los brazos del pulpo de
  oro!
Rechaza las crueles ventosas que buscan detrás de la niebla!
Esconde, Tomás, tu semblante delgado de halcón oceánico!
Defiende la proa intranquila de tu embarcación orgullosa!
Protege los ojos del águila que espera mi patria en su cuna
y deja perdido en la niebla al octopus de boca amarilla!

III. LA NAVE

La nave es la rosa más dura del mundo: florece en el sol
  tempestuoso

y se abre en el mar la corola de sus imponentes pistilos.
Silbante es el viento en los pétalos,
la ola levanta la rosa en las torres del agua
y el hombre resuelve el camino cerrado, cortando la gran
    esmeralda.

Mi patria llamó al marinero: Miradlo en la proa del siglo!
Si el tiempo no quiso moverse en los viejos relojes cansados
él hace del tiempo una nave y dirige este siglo al océano,
al ancho y sonoro Pacífico, sembrado por los archipiélagos,
en donde una espada de piedra delgada colgada de las cordi-
    lleras
espera las manos de Cochrane para combatir las tinieblas.
Mi patria es la espada de piedra de las cordilleras andinas.
Mi patria es el mar oprimido que espera a Tomás Marinero.

IV. CORO DE LOS MARES OPRIMIDOS

Lord del mar, ven a nos, somos agua y arena oprimidas!

Lord del mar, somos pueblos bloqueados y mudos!

Lord del mar, te llamamos cantando a la lucha!

Lord del mar, la cadena española nos cierra las aguas!

Lord del mar, nos amarra los sueños la noche española!

Lord del mar, en el puerto te esperan el llanto y la ira!

Lord del mar, te reclaman los Mares del Sur!

V. LA MIRADA

Contemplad al Halcón que prepara con ojos de fuego tran-
    quilo
el vuelo violento que cruce como una centella la sombra!

VI. EL SUR DEL PLANETA

(Mi pueblo recién despertaba y los pobres laureles manchados
    de sangre y de lluvia
yacían en las carreteras confusas del alba: mi patria
envuelta en ropaje de nieve, como un monumento que aún no
    inauguran,
dormía y sangraba sin voz, esperando.)

Mineral y marina es mi patria como una figura de proa,
tallada por las duras manos de dioses terribles.
En la Araucanía la selva no tiene otro idioma que los truenos
    verdes,
el Norte lunario te ofrece su frente de arena sedienta,
el Sur la corona del humo naciendo de las cicatrices volcá-
    nicas,
y la Patagonia camina agachada en el viento
hasta que las estepas de Tierra del Fuego elevaron la última
    estrella
y encienden con manos inmóviles el Polo del Sur en el cielo.

VII. TRISTEZA

El hombre maldice de pronto la aurora recién descubierta
y rompe las nuevas banderas golpeando al hermano y matan-
    do a sus hijos:

Así pasó entonces, así pasa ahora y así pasará, por desdicha.
Y no hay más amarga campana en el mundo que aquella
que anuncia
con la libertad, la agonía de aquellos que la construyeron.
Carrera, Rodríguez, O'Higgins, comparten la gloria y el
odio
y un paño de luto amenaza cubrir el destino de los estandartes,

VIII. UN HOMBRE EN EL SUR

Llegó el marinero! Los mares del Sur acogieron al hombre
que huyó de la niebla
y Chile le extiende sus manos oscuras mostrando el peligro.
Y no es arrogante el guerrero que cuando su nave recibe los
cuatro regalos,
la Cruz Estrellada del cielo del Sur, el trébol de cuatro diamantes,
y baja los ojos a mi pobre patria harapienta y sangrienta,
comprende que aquí su destino es fundar otra estrella en el
vasto vacío,
una estrella en el mar que defienda con rayos de hierro la
cuna de los ofendidos.

IX. LAS NAVES NACIERON

Lord Cochrane estudia, examina, dirige, resuelve, recoge al
azar del camino
los hombres que la tierra amarga, mojada de sangre, le entrega,
los sube a la nave, bautiza sus ojos terrestres con aguas
navales,

maneja los brazos chilenos del mar hasta entonces inmóvil,
coloca la insignia almirante y la nueva bandera en el áspero
viento.
Las naves nacieron. Los ojos de Cochrane navegan, indagan,
acechan.

X. PROCLAMA

Chilenos del mar! Al asalto! Soy Cochrane. Yo vengo de
lejos!
Ya habéis aprendido las artes del fuego y el lujo de la
simetría!
La sangre de Arauco es honor de mis tripulaciones!
Adelante! La tierra de Chile se gana o se pierde en el agua!
A mí, marineros! Yo no garantizo la vida de nadie,
sino la victoria de todos! A mí, marineros de Chile!

XI. TRIUNFO

Valdivia! La pólvora barrió las insignias de España!
Callao! Las proas de Chile del Sur robaron los huevos del
águila!
Y fueron abiertos los mares al viaje de todos los hombres!
Se abrió como caja de música el globo oceánico,
las islas de la Polinesia Sagrada y Secreta surgieron cantando
y bailando
y una caracola instituye en la costa salvaje la miel, la verdad
y el aroma de las profecías.

XII. ADIÓS

Lord Cochrane, adiós! Tu navío retorna al combate
y apenas selló la victoria las puertas de tus posesiones,
apenas el humo de la chimenea saluda la paz de tu huerto
navega otra vez tu destino hacia la libertad de otra tierra.

Adiós, marinero! La noche desnuda su cuerpo de plata
    marina
y sobre las olas australes resbala otra vez tu navío.
Las manos oscuras de Chile recogen tu insignia caída en
    la niebla
y elevan a lo alto de los campanarios y las cordilleras
tu escudo de padre guerrero, tu herencia de mar valeroso.

La noche del Sur acompaña tu nave y levanta su copa de
    estrellas
por el navegante y su errante destino de libertador de los
    pueblos.

XIII. COCHRANE DE CHILE

Y ahora pregunto al vacío, al pasado de sombra, quién era
este caballero intranquilo de la libertad y las olas?

Es éste el que sus enemigos revisten de oscuros colores?

Es éste el desviado que esconde una bolsa de oro en la selva
    de Londres?

Es ésta la espada expulsada de las abadías patricias?

123

Es éste el que aún el encarnizado enemigo persigue a través
   de los libros?

Almirante, tus ojos se abren saliendo del mar cada día!

Con tu invulnerable esplendor se ilumina el delgado hemisferio
y en la noche tus ojos se cierran sobre las cordilleras de
   Chile!

Sigue La Barcarola:

BOSQUE

Hora verde, hora espléndida! He vuelto a decir sí
al perteneciente silencio, al oxígeno verde,
al avellano roto por las lluvias de entonces,
al pabellón de orgullo que asume la araucaria,
a mí mismo, a mi canto cantado por los pájaros.

Escuchen, es el trino repetido, el cristal
que a puro cielo clama, combate, modifica,
es un hilo que el agua, la flauta y el platino
mantienen en el aire, de rama en rama pura,
es el juego simétrico de la tierra que canta,
es la estrofa que cae como una gota de agua.

PÁJAROS

Oh delgada cascada de música silvestre!

Oh burbuja labrada por el agua en la luz!

Oh sonido metálico del cielo transparente!

Oh círculo del mundo convertido en pureza!

Hora de pies hundidos en el pastel del bosque,
viejas maderas víctimas de la humedad, ramajes
leprosos como estatuas de exploradores muertos,
y en lo alto se corona la selva con estrellas
que en la copa del ulmo fabrican la fragancia!

Luz verde, genital, de la selva! Es extraño
clavar en el papel estos signos: aquí
no cabe sino el musgo, la presencia del árbol,
la enemistad del lago que ondula su universo
y más allá de los bosques huracanados,
y más allá de todo este estupor fragante
los volcanes armados por invencible nieve.

Pobre mi ser! Pobre minúsculo extranjero
llegado de los libros y las carrocerías,
sobrino de las sillas, hermano de las camas,
pobre de las cucharas y de los tenedores!
Pobre yo, abandonado de la naturaleza!

El ave carpintera se acercó a mi cuaderno,
desgranó contra mí su feroz carcajada
y como piedra que cayó del cielo
rompió las vidrierías del infinito.

                                        Adiós
tren torrencial, relámpago sonoro!

Acomodo el papel, persigo al tábano,
marcho hacia abajo hundiéndome en la alfombra del musgo
y dejo atrás estas montañas cristalinas.

Del lago Rupanco en el centro la isla Altuehuapi rodeada por
    agua y silencio

emerge como una corona fragante y florida trenzada por los
    arrayanes,
alzada por robles, maitenes, canelos, colihues, copihues,
y por el follaje de los avellanos cortados por tijeretazos
    celestes,
poblada por las gigantescas peinetas hirsutas de las araucarias,
mientras las abejas en la muchedumbre nupcial de las flores
    del ulmo
crepitan alando la luz encrespada de la monarquía en la selva
sobre colosales helechos que mueven la esmeralda fría de sus
    abanicos.

Oh desmantelado silencio de aquel continente lluvioso
bajo cuyas campanas de lluvia nació la verdad de mi canto,
aquí en el ombligo del agua recobro el tesoro quemado
y vuelvo a llorar y a cantar como el agua en las piedras
    silvestres.

Oh lluvia del lago Rupanco, por qué me desdije en el mundo,
por qué abandoné mi linaje de tablas podridas por el agua-
    cero.

Ahora camino pisando las verdes insignias del musgo
y en sueños los escarabajos pululan bajo mi esqueleto.

PUCATRIHUE

En Pucatrihue vive
la voz, la sal, el aire.

En Pucatrihue.

En Pucatrihue crece

la tarde como cuando
una bandera
nace.

En Pucatrihue.

En Pucatrihue un día
se perdió y no volvió
de la selva.

En Pucatrihue.

En Pucatrihue creo
no sé por qué ni cuándo
nacieron
mis raíces.

Las perdí por el mundo.
O las dejé olvidadas
en un hotel oscuro,
carcomido, de Europa.

Las busqué sin embargo
y sólo hallé las minas,
los viejos esqueletos
de mármol amarillo.

Ay, Delia, mis raíces
están en Pucatrihue.
No sé por qué, ni cómo,
ni desde cuándo, pero
están en Pucatrihue.

Sí.

En Pucatrihue.

EL LAGO

(Habla el lago Rupanco
toda la noche, solo.

Toda la noche el mismo
lenguaje rumoroso.

Para qué, para quiénes
habla
el lago?

Suave suena en la sombra
como un sauce mojado.
Con qué, con quién conversa
toda la noche el lago?

Tal vez para sí solo.

El lago
conversa con el lago?

Sus labios se sumergen,
se besan bajo el agua,
sus sílabas susurran,
hablan.

Para quién? Para todos?
Para ti?
Para nadie.

Recojo en la ribera
por la mañana, flores
destrozadas.

Pétalos blancos de ulmo,
aromas rechazados
por el vaivén del agua.

Tal vez fueron coronas
de novias ahogadas.

Habla el lago, conversa
tal vez con algo o alguien.

Tal vez con nadie o nada.

Tal vez son de otro tiempo
sus palabras
y nadie entiende ahora
el idioma del agua.

Algo quiere decir
la insistencia sagrada
del lago, de su voz
que se acerca y apaga.

Habla el lago Rupanco
toda la noche.
                    Escuchas?
Parece que llamara
a los que ya no pueden
hablar, oír, volver,
tal vez a nadie,
a nada.)

OCTAVO EPISODIO:

ARTIGAS

I

ARTIGAS crecía entre los matorrales y fue tempestuoso su
    paso
porque en las praderas creciendo el galope de piedra o cam-
    pana
llegó a sacudir la inclemencia del páramo como repetida
    centella,
llegó a acumular el color celestial extendiendo los cascos
    sonoros
hasta que nació una bandera empapada en el uruguayano
    rocío.

II

Uruguay, Uruguay, uruguayan los cantos del río uruguayo,
las aves turpiales, la tórtola de voz malherida, la torre del
    trueno uruguayo
proclaman el grito celeste que dice Uruguay en el viento
y si la cascada redobla y repite el galope de los caballeros
    amargos
que hacia la frontera recogen los últimos granos de su vic-
    toriosa derrota
se extiende el unísono nombre de pájaro puro,
la luz de violín que bautiza la patria violenta.

III

Oh Artigas, soldado del campo creciente, cuando para toda
la tropa bastaba
tu poncho estrellado por constelaciones que tú conocías,
hasta que la sangre corrompe y redime la aurora, y des-
piertan tus hombres
marchando agobiados por los polvorientos ramales del día.
Oh padre constante del itinerario, caudillo del rumbo, cen-
tauro de la polvareda!

IV

Pasaron los días de un siglo y siguieron las horas detrás de
tu exilio:
detrás de la selva enredada por mil telarañas de hierro:
detrás del silencio en que sólo caían los frutos podridos
sobre los pantanos,
las hojas, la lluvia desencadenada, la música del urutaú,
los pasos descalzos de los paraguayos entrando y saliendo
en el sol de la sombra,
la trenza del látigo, los cepos, los cuerpos roídos por escarabajos:
un grave cerrojo se impuso apartando el color de la selva
y el amoratado crepúsculo cerraba con sus cinturones
los ojos de Artigas que buscan en su desventura la luz
uruguaya.

V

"*Amargo trabajo el exilio*" escribió aquel hermano de mi
alma

y así el entretanto de América cayó como párpado oscuro
sobre la mirada de Artigas, jinete del escalofrío,
opreso en la inmóvil mirada de vidrio de un déspota, en un
   reino vacío.

VI

América tuya temblaba con penitenciales dolores:
Oribes, Alveares, Carreras, desnudos corrían hacia el sa-
   crificio:
morían, nacían, caían: los ojos del ciego mataban: la voz
   de los mudos
hablaba. Los muertos, por fin encontraron partido,
por fin conocieron su bando patricio en la muerte.
Y todos aquellos sangrientos supieron que pertenecían
a la misma fila: la tierra no tiene adversarios.

VII

Uruguay es palabra de pájaro, o idioma del agua,
es sílaba de una cascada, es tormento de cristalería,
Uruguay es la voz de las frutas en la primavera fragante,
es un beso fluvial de los bosques y la máscara azul del
   Atlántico.
Uruguay es la ropa tendida en el oro de un día de viento,
es el pan en la mesa de América, la pureza del pan en la mesa.

VIII

Y si Pablo Neruda, el cronista de todas las cosas te debía,
   Uruguay, este canto,

este canto, este cuento, esta miga de espiga, este Artigas,
no falté a mis deberes ni acepté los escrúpulos del intran-
    sigente:
esperé una hora quieta, aceché una hora inquieta, recogí
    los herbarios del río,
sumergí mi cabeza en tu arena y en la plata de los peje-
    rreyes,
en la clara amistad de tus hijos, en tus destartalados
    mercados
me acendré hasta sentirme deudor de tu olor y tu amor.
Y tal vez está escrito el rumor que tu amor y tu olor me
    otorgaron
en estas palabras oscuras, que dejo en memoria de tu capitán
    luminoso.

Sigue La Barcarola :

SOLO DE SOL

Hoy, este momento, este hoy destapado, aquí afuera,
la dicha ofrecida al espacio como una campana,
el contacto del sol con mi meditación y tu frente
en las redes rotundas que alzó el mediodía
con el sol como un pez palpitando en el cielo.

Bienamada, este lejos está hecho de espigas y ortigas:
trabajó la distancia el cordel del rencor y el amor
hasta que sacudieron la nave los perros babosos del odio
y entregamos al mar otra vez la victoria y la fuga.

Borra el aire, amor mío, violento, la inicial del dolor en la
    tierra,
al pasar reconoce tus ojos y tocó tu mirada de nuevo
y parece que el viento de Abril contra nuestra arrogancia
se va sin volver y sin irse jamás: es el mismo:
es el mismo que abrió la mirada total del cristal de este día,
derramó en el rectángulo un racimo de abejas
y creó en el zafiro la multiplicación de las rosas.

Bienamada, nuestro amor, que buscó la intemperie, navega
en la luz conquistada, en el vértice de los desafíos,
y no hay sombra arrastrándose desde los dormitorios del
    mundo

que cubra esta espada clavada en la espuma del cielo.

Oh, agua y tierra eres tú, sortilegio de relojería,
convención de la torre marina con la greda de mi territorio!

Bienamada, la dicha, el color del amor, la estatua del Sur en
    la lluvia,
el espacio por ti reunido para satisfacción de mis besos,
la grandiosa ola fría que rompe su pompa encendida por el
    amaranto,
y yo, oscurecido por tu resplandor cereal,
oh amor, mediodía de sal transparente, Matilde en el viento,
tenemos la forma de fruta que la primavera elabora
y persistiremos en nuestros deberes profundos.

NOVENO EPISODIO:

SANTOS REVISITADO
(1927-1967)

I

Santos! Es en Brasil, y hace ya cuatro veces diez años.
Alguien a mi lado conversa *"Pelé es un superhombre"*,
"No soy un aficionado, pero en la televisión me gusta".
Antes era selvático este puerto y olía
como una axila del Brasil caluroso.
"Caio de Santa Marta". Es un barco, y es otro, mil barcos!
Ahora los frigoríficos establecieron catedrales
de bello gris, y parecen
juegos de dados de dioses los blancos edificios.
El café y el sudor crecieron hasta crear las proas,
el pavimento, las habitaciones rectilíneas:
cuántos granos de café, cuántas gotas salobres
de sudor? Tal vez el mar
se llenaría, pero la tierra no, nunca la tierra, nunca satisfecha,
hambrienta siempre de café, sedienta
de sudor negro! Tierra maldita, espero
que revientes un día, de alimentos, de sacos masticados,
y de eterno sudor de hombres que ya murieron
y fueron reemplazados para seguir sudando.

II

Aquel Santos de un día de Junio, de cuarenta años menos,

141

vuelve a mí con un triste olor de tiempo y plátano,
con un olor a banana podrida, estiércol de oro,
y una rabiosa lluvia caliente sobre el sol.
Los trópicos me parecían enfermedades del mundo,
heridas pululantes de la tierra. Adiós
nociones! Aprendí el calor
como se aprenden las lágrimas, con sobresalto:
aprendí los meses del Monzón y la insensata
fragancia del mango de Mandalay (penetrante
como flecha veloz de marfil y mejilla),
y respeté los templos sucios de mis semejantes,
oscuros como yo mismo, idólatras como todos los hombres.

III

Cuanto tú hacemos, cuando yo hacemos el viaje del amor,
amor, Matilde, el mar o tu boca redonda
son, somos la hora que desprendió el entonces,
y cada día corre buscando aniversario.

IV

Santos, oh deshonor del olvido, oh paciencia
del tiempo, que no sólo pasó
sino que trajo barcos blancos, verdes, sutiles
y el temblor forestal se hizo ferruginoso.

V

que he escuchado la esfera poniendo el oído en
to

y a veces oigo sólo un rumor de mareas o abejas:
perdón si no pude y a tiempo escuchar esa locomotora
o el estruendo espacial de la nave que estalla en su huevo de
    acero
y que sube silbando entre constelaciones y temperaturas:
perdonen algún día si no vi el crecimiento de los edificios
porque estaba mirando crecer un árbol, perdón.
Trataré de cumplir con aquellas ciudades que huyeron de
    mi alma
y se armaron de duras paredes, ascensores altivos,
dejándome afuera en la lluvia, olvidado en los años ausentes,
ahora que vuelvo de entonces me saco el sombrero, y sonrío
saludando este gran esplendor sin deseo ni envidia:
sintiéndome vivo como una naranja cortada conserva en su
    mitad de oro el intacto vestido de ayer
y en el otro hemisferio respeta el cemento creciente.

Sigue La Barcarola:

IDA Y VUELTA

Celebro el mensaje indirecto y la copa de tu transparencia
(cuando en Valparaíso encontraste mis ojos perdidos)
porque yo a la distancia cerré la mirada buscándote, amada,
y me despedí de mí mismo dejándote sola.

Un día, un caballo que cruza el camino del tiempo, una
    hoguera
que deja en la arena carbones nocturnos como quemaduras
y desvencijado, sin ver ni saber, prisionero en mi corta
    desdicha,
espero que vuelvas apenas partida de nuestras arenas.

Celebro esos pasos que no divisé entre tus pasos delgados,
la harina incitante que tú despertaste en las panaderías
y en aquella gota de lluvia que me dedicabas
hallé, al recogerla en la costa, tu rostro encerrado en el agua.

No debo bajar a las dunas ni ver el enjambre de la pesquería,
no tengo por qué avizorar las ballenas que atrae el Otoño a
    Quintay
desde sus espaciosas moradas y procreaciones antárticas:
la naturaleza no puede mentir a sus hijos y espero:
espera, te espero. Y si llegas, la sombra pondrá en su he-
    misferio
una claridad de violetas que no conocía la noche.

DÉCIMO EPISODIO:

HABLA UN TRANSEÚNTE DE LAS AMÉRICAS LLAMADO CHIVILCOY

I

Yo CAMBIO de rumbo, de empleo, de bar y de barco, de
   pelo
de tienda y mujer, lancinante, exprofeso no existo,
tal vez soy mexibiano, argentuayo, bolivio,
caribián, panamante, colomvenechilenomalteco:
aprendí en los mercados a vender y comprar caminando:
me inscribí en los partidos dispares y cambié de camisa
   impulsado
por las necesidades rituales que echan a la mierda el escrúpulo
y confieso saber más que todos sin haber aprendido:
lo que ignoro no vale la pena, no se paga en la plaza, señores.

Acostumbro zapatos quebrados, corbatas raídas, cuidado,
cuando menos lo piensen llevo un gran solitario en un dedo
y me planchan por dentro y por fuera, me perfuman, me
   cuidan, me peinan.

Me casé en Nicaragua: pregunten ustedes por el general
   Allegado
que tuvo el honor de ser suegro de su servidor, y más tarde
en Colombia fui esposo legítimo de una Jaramillo Restrepo.
Si mis matrimonios terminan cambiando de clima, no importa.

(Hablando entre hombres: Mi chola de Tambo! Algo serio
    en la cama.)
Vendí mantequilla y chancaca en los puertos peruanos
y medicamentos de un poblado a otro de la Patagonia:
voy llegando a viejo en las malas pensiones sin plata, pa-
    sando por rico,
y pasando por pobre entre ricos, sin haber ganado ni perdido
    nada.

II

Desde la ventana que me corresponde en la vida
veo el mismo jardín polvoriento de tierra mezquina
con perros errantes que orinan y siguen buscando la felicidad,
o excrementicios y eróticos gatos que no se interesan por
    vidas ajenas.

III

Yo soy aquel hombre rodado por tantos kilómetros y sin
    existencia:
soy piedra en un río que no tiene nombre en el mapa:
soy el pasajero de los autobuses gastados de Oruro
y aunque pertenezco a las cervecerías de Montevideo
en la Boca anduve vendiendo guitarras de Chile
y sin pasaporte entraba y salía por las cordilleras.
Supongo que todos los hombres dejan equipaje:
yo voy a dejar como herencia lo mismo que el perro:
es lo que llevé entre las piernas: mis bienes son ésos.

IV

Si desaparezco aparezco con otra mirada: es lo mismo.
Soy un héroe imperecedero no tengo comienzo ni fin
y mi moraleja consiste en un plato de pescado frito.

Sigue La Barcarola:

EXPLICACIÓN

Para este país, para estos cántaros de greda:
para este periódico sucio que vuela con el viento en la playa:
para estas tierras quebradas que esperan un río de invierno:
quiero pedir algo y no sé a quién pedirlo.

Para nuestras ciudades pestilentes y encarnizadas, donde hay
    sin embargo
escuelas con campanas y cines llenos de sueños,
y para los pescadores y las pescadoras de los archipiélagos
    del Sur
(donde hace tanto frío y dura tanto el año)
quiero pedir algo ahora, y no sé qué pedir.

Ya se sabe que los volcanes errantes de las edades anteriores
se juntaron aquí como carpas de circo
y se quedaron inmóviles en el territorio:
los que aquí hemos nacido nos acostumbramos al fuego
que ilumina la nieve como una cabellera.

Pero luego la tierra se convierte en caballo
que se sacude como si se quemara vivo
y caemos rodando del planeta a la muerte.

Quiero pedir que no se mueva la tierra.

Somos tan pocos los que aquí nacimos.

Somos tan pocos los que padecemos
(y menos aún los dichosos aquí en las cordilleras)
hay tantas cosas que hacer entre la nieve y el mar:
aun los niños descalzos cruzan de invierno a invierno:
no hay techos contra la lluvia, faltan ropa y comida:
y así se explica que yo tenga que pedir algo
sin saber bien a quién ni cómo hacerlo.

(Cuando ya la memoria de lo que fui se borre
con la repetición de la ola en la arena
y no recuerde nadie lo que hice o no hice
quiero que me perdonen de antemano,
no tuve tiempo nunca de hacer o no hacer nada:
porque la vida entera me la pasé pidiendo,
para que los demás alguna vez pudieran
vivir tranquilos.)

ONCENO EPISODIO:

EL ASTRONAUTA

I

Sɪ ᴍᴇ ᴇɴᴄᴏɴᴛʀᴇ́ en estas regiones reconcentradas y cál-
    cáreas
fue por equivocaciones de padre y madre en mi planeta:
me aburrieron tanto los unos como los otros inclementes:
dejé plantados a los puros, desencadené cierta locura
y seguí haciendo regalos a los hostiles.

II

Llegué porque me invitaron a una estrella recién abierta:
ya Leonov me había dicho que cruzaríamos colores
de azufre inmenso y amaranto, fuego furioso de turquesa,
zonas insólitas de plata como espejos efervescentes
y cuando ya me quedé solo sobre la calvicie del cielo
en esta zona parecida a la extensión de Antofagasta,
a la soledad de Atacama, a las alturas de Mongolia
me desnudé para vivir en el calor del mundo virgen,
del mundo viejo de una estrella que agonizaba o que nacía.

III

No me hacía falta la ropa sino el lenguaje, recogí
una suavísima, metálica flor, una rosa cuyo rocío
cayó perforando el suelo como un torrente de mercurio
y por ese cauce escuché de gruta en gruta el rocío
bajar las escalinatas de cristal dormido y gastado.
Gastado por quién? Por los sueños? Por la vida con apellido?
Por animales o personas, elefantes o analfabetos?
Y de pronto me sorprendí buscando otra vez con tristeza
la identidad, la historia, el cuento de los que dejé en la tierra.

IV

Tal vez aquí en estas arrugas, bajo estas costras esteparias,
bajo el volcánico estandarte de las cenizas celestiales
existió o existe la envidia que me mordió por los caminos
terrestres, como un caimán de cuarenta colas podridas?
Aquí también prosperará el caníbal parasitario,
el cínico, el frívolo dicharachista sostenido por sus cosmé-
    ticos?
Aquí el Chamudar cambiará de camiseta pegadiza
como el Retamudez Gordillo de la intervención "oportuna"?

V

Pero encontré solo los huesos del silencio carbonizado:
buscando bajé las estratas de mortífera astrología:
iguanas muertas tal vez eran los vestigios del polvo,
edades que se trituraron y quedaba solo el fulgor
y era toda la estrella aquella como una antigua mariposa
de ancestrales alas que apenas tocadas se desvanecían

apareciendo entonces un agujero de metal,
una cueva en cuyo pasado brillaban las piedras del frío.

VI

Me perdí por las galerías del sol tal vez derribado
o en la luna sin corazón con sus espejos carcomidos
y como en la seguridad de mi país inseguro
aquí el miedo me manejaba los pies en el descubrimiento.

Pero no hallé como alabar el alabastro que corría
derretido, por las gargantas de piedra pómez astringente,
y como, con quién hablar del tesoro negro que huía
con el río del azabache por las calles cicatrizadas?

VII

Poco a poco el silencio me hizo un Robinson asustadizo
sin ropa pero sin hambre, sin sed porque por los poros
la luz mineral nutría y humedecía, pero poco
a poco el planeta me descolgó de mi lengua,
y erré sin idioma, oscuro, por las arenas del silencio.

Oh soledad espacial del silencio! Se deshace
el ruido del corazón y cuando sobresaltado
oí un silencio debajo de otro silencio mayor:
me fui adelgazando hasta ser sólo silencio en aquel barrio del
    cielo
donde caí y fui enterrado por un cauce silencioso
por un gran río de esmeraldas que no sabían cantar.

Sigue La Barcarola:

LOS OFRECIMIENTOS

Desde hoy te proclamo estival, hija de oro, tristeza,
lo que quiera tu ser diminuto del ancho universo.

Bienamada, te doy o te niego, en la copa del mundo:
aun lo que explora la larva en su túnel estrecho
o lo que descifra el astrónomo en la paz parabólica
o aquella república de tristes estatuas que lloran al lado del
    mar
o el peso nupcial de la abeja cargada de oro oloroso
o la colección de las hojas de todo el otoño en los bosques
o un hilo del agua en la piedra que hay en mi país natalicio
o un saco de trigo arrastrado por cuatro ladrones ham-
    brientos
o un trono de mimbre tejido por las elegantes arañas de
    Angol
o un par de zapatos cortados en piedra de luna
o un huevo nacido de cóndor de las cordilleras de Chile
o siete semillas de hierba fragante crecida a la orilla del
    Río Ralún
o la flor especial que se abre en las nubes a causa del humo
o el rito de los araucanos con un caballito de palo en la selva
o aquel tren que perdí en California y encontré en el desierto
    de Gobi
o el ala del ave relámpago en cuya ancestral cacería

anduve perdido en el Sur y olvidado por todo un invierno
o el lápiz marino capaz de escribir en las olas
y lo que tú quieras y lo que no quieras te doy y te niego
porque las palabras estallan abriendo el castillo, y cerramos
    los ojos.

DOCENO EPISODIO:

LA MÁSCARA MARINA

Resbala en la húmeda suma la luna
sorteando la sala con su susurrante salida
las aves del suave solsticio los vuelos se alzaron
y el sol de la aurora aurorea en la sopa del mar
la sopa del mar sopa negra pasó por la sombra
parece que se abre una caja si sale la aurora
como un abanico cerrado es el sol en su cielo
salió de la caja la luz de la caja de jacarandá
salió perfumada la luz salió anaranjada la luz salió luz
abanico era entonces encima esplendor era fría esperanza
y yo déle que déle al navío yo no vuelo ni corro ni nado
yo en la proa celeste de acuerdo azutrina amaranto de acuerdo
de acuerdo con el abanico creciente de acuerdo llovía de
      pronto
y estatua de sal transparente en la lluvia o morada señora
ofrecí mi crepúsculo al viento a la noche que me devoraba
y seguí seguí sola en la noche en el día desnuda turgente
era el mar del navío la ruta la línea la misma salmuera
y otro día otra grieta en mis manos en mi vestidura
yo no miro los puertos he cerrado los ojos al daño
amo el solo elemento la luz que transcurre las lanzas del frío
sube el sol al cénit uva a uva hasta ser un racimo
y de noche la sombra resbala la luna en el vino
el mar alcohol del planeta la rosa que hierve y el agua que
      arde yo sigo yo sumo
no muevo los ojos no canto no tengo palabras no sueño

165

me mueven me cantan me sueñan me sume la ola
salpica levanta mi desventurada cabeza en la eterna intemperie
yo vivo en el gran movimiento del orbe en la nave
soy parte incesante de la dirección de la esencia
no tengo contrato firmado con gotas de sangre ni reina ni
     esclava
yo sé que armadores henchidos pagaron dolores con dólares
la barca la blanca vestida la Venus de ballenería
las velas al viento sobre la muchedumbre del mar hacia Chile
pero aquellas monedas cayeron en las alcancías del padre
     artesano
y pronto rodaron pagando ataúdes botellas zapatos escuelas
     o flores
yo fui liberada y entré en el navío sin deuda de sangre
no compro la aurora no salgo no muevo los brazos no reino
y sólo obedezco al latido del agua en la proa como una
     manzana
obedece a la savia que sube y navega en el árbol de la
     primavera
la sangre cetácea la esperma violeta del asesinato en las olas
no veo ni el círculo frío del duro petrel en el viento
ni el pez arrancado a una garra y partido por un picotazo
sin duda un camino de sangre surcó la salmuera
oí el espantoso silencio después de las llamas de la artillería
en el territorio inocente otros hombres vestidos de oro
con máscaras blancas metían en redes a sus semejantes
corrían aullando mujeres entre los castigos morían de amor
     y de furia
las redes subían repletas de oscuras miradas y manos heridas
yo vi desangrarse los ríos de los territorios y sé como lloran
     las piedras
oh rayo del mar amedrenta a tus hijos castiga a los crueles
decía la tierra y el mar continuó y subió el movimiento a
     mi pecho

y yo me incorporo al camino mis ojos no saben llorar
soy sólo una forma en la luz una vértebra de la alegoría.

La Barcarola termina:

SOLO DE SAL

(De pronto el día rápido se transformó en tristeza
y así la barcarola que crecía cantando
se calla y permanece la voz sin movimiento.)

Sabréis que en aquella región que cruzaba con miedo
crispaba la noche los ruidos secretos, la sombra selvática,
y yo me arrastraba con los autobuses en el misterioso
     universo:
Asia negra, tiniebla del bosque, ceniza sagrada,
y mi juventud temblorosa con alas de mosca
saltando de aquí para allá por los reinos oscuros.

De pronto se inmovilizaron las ruedas, bajaron los des-
     conocidos
y allí me quedé, occidental, en la soledad de la selva:
allí sin salir de aquel carro perdido en la noche,
con veinte años de edad esperando la muerte, refugiado en
     mi idioma.

De pronto un tambor en la selva, una antorcha, un rumor de
     la ruta,
y aquellos que predestiné como mis asesinos
bailaban allí, bajo el peso de la oscuridad de la selva,
para entretener al viajero perdido en remotas regiones.

Así cuando tantos presagios llevaban al fin de mi vida,
los altos tambores, las trenzas floridas, los centelleantes
   tobillos
danzaban sonriendo y cantando para un extranjero.

Te canto este cuento, amor mío, porque la enseñanza
del hombre se cumple a pesar del extraño atavío
y allí se fundaron en mí los principios del alba,
allí despertó mi razón a la fraternidad de los hombres.

Fue en Vietnam, en Vietnam en el año de Mil novecientos
   veintiocho.

Cuarenta años después a la música de mis compañeros
llegó el gas asesino quemando los pies y la música,
quemando el silencio ritual de la naturaleza
incendiando el amor y matando la paz de los niños.

Maldición al atroz invasor! dice ahora el tambor reuniendo
al pequeño país en el nudo de su resistencia.

Amor mío, cante para ti los transcursos de mar y de día,
y fue soñolienta la luna de mi barcarola en el agua
porque lo dispuso el sistema de mi simetría
y el beso incitante de la primavera marina.
Te dije: a llevar por el mundo del viaje tus ojos amados!
La rosa que en mi corazón establece su pueblo fragante!
Y, dije, te doy además el recuerdo de pícaros y héroes,
el trueno del mundo acompaña con su poderío mis besos,
y así fue la barca barquera deslizándose en mi barcarola.

Pero años impuros, la sangre del hombre distante
recae en la espuma, nos mancha en la ola, salpica la luna: son
   nuestros,

son nuestros dolores aquellos distantes dolores
y la resistencia de los destruidos es parte concreta de mi alma.

Tal vez esta guerra se irá como aquellas que nos compartieron
dejándonos muertos, matándonos con los que mataron
pero el deshonor de este tiempo nos toca la frente con dedos
    quemados
y quién borrará lo inflexible que tuvo la sangre inocente?

Amor mío, a lo largo de la costa larga
de un pétalo a otro la tierra construye el aroma
y ya el estandarte de la primavera proclama
nuestra eternidad no por breve menos lacerante.

Si nunca la nave en su imperio regresa con dedos intactos,
si la barcarola seguía su rumbo en el trueno marino
y si tu cintura dorada vertió su belleza en mis manos
aquí sometemos en este regreso del mar, el destino,
y sin más examen cumplimos con la llamarada.

Quién oye la esencia secreta de la sucesión,
de la sucesiva estación que nos llena de sol o de llanto?
Escoge la tierra callada una hoja, la ramificada postrera
y cae en la altura amarilla como el testimonio de un adve-
    nimiento.

El hombre trepó a sus motores, se hicieron terribles
las obras de arte, los cuadros de plomo, las tristes estatuas
    de hilo,
los libros que se dedicaron a falsificar el relámpago,
los grandes negocios se hicieron con manchas de sangre en
    el barro de los arrozales,
y de la esperanza de muchos quedó un esqueleto imprevisto:
el fin de este siglo pagaba en el cielo lo que nos debía,

y mientras llegaba a la luna y dejaba caer herramientas de
   oro,
no supimos nosotros, los hijos del lento crepúsculo,
si se descubría otra forma de muerte o teníamos un nuevo
   planeta.

Por mi parte y tu parte, cumplimos, compartimos esperanzas
   e inviernos
y fuimos heridos no sólo por los enemigos mortales
sino por mortales amigos (y esto pareció más amargo),
pero no me parece más dulce mi pan o mi libro entretanto:
agregamos viviendo la cifra que falta al dolor
y seguimos amando el amor y con nuestra directa conducta
enterramos a los mentirosos y vivimos con los verdaderos.

Amor mío, la noche llegó galopando sobre las extensiones del
   mundo.

Amor mío, la noche borra el signo del mar y la nave resbala
   y reposa.

Amor mío, la noche encendió su instituto estrellado.

En el hueco del hombre dormido la mujer navegó desvelada
y bajaron los dos en el sueño por los ríos que llevan al llanto
y crecieron de nuevo entre los animales oscuros y los trenes
   cargados de sombra
hasta que no llegaron a ser sino pálidas piedras nocturnas.

Es la hora, amor mío, de apartar esta rosa sombría,
cerrar las estrellas, enterrar la ceniza en la tierra:
y en la insurrección de la luz, despertar con los que des-
   pertaron
o seguir en el sueño alcanzando la otra orilla del mar que no
   tiene otra orilla.

Referencias

La barcarola. Canción muy de moda a comienzos de siglo. Ha pasado a considerarse anónima. La reproducción de la partitura que aparece en la contraportadilla fue editada en la "Casa Amarilla", en Santiago de Chile. La música aparece como un arreglo de Roberto Retes. La letra es de R. Tudela.

El comienzo de *La Barcarola* apareció publicado como fragmento con el título de "Amores: Matilde" en la quinta parte del *Memorial de Isla Negra, Sonata Crítica.* En las próximas ediciones del *Memorial de Isla Negra* se suprimirán los versos que desde ahora se publican aquí (pp. 9-22).

Ñuble, Quinchamalí. En la provincia de Ñuble, ciudad de Chillán, nació Matilde Urrutia, la compañera del poeta. Quinchamalí es la aldea de esa región donde se elabora la más bella cerámica popular de Chile (p. 13).

Pillanlelbún, Rengo, Rancagua, Renaico, Lancoche, Quirihue. Ciudades y aldeas del Sur de Chile (pp. 13 y 15).

Datitla. Casa de la familia Mántaras en una playa de Uruguay (p. 17).

"La Chascona" y *"La Sebastiana".* Casas construidas por el poeta en Santiago y en Valparaíso (pp. 19 y 20).

Terremoto en Chile. Se trata del terremoto de 1965 que afectó especialmente la zona de Valparaíso. La residencia del poeta sufrió daños considerables. Pablo Neruda y Matilde supieron la noticia de la catástrofe cerca de Lisboa. El poeta Aragon, de Francia, dedicó con este motivo y este tema su extraordinaria *Elegía a Pablo Neruda*, Gallimard, 1965 (p. 27).

Rue de la Huchette. Calle del Quartier Latin que desemboca en el Boulevard Saint-Michel en París (p. 37).

Rubén Azócar (1901-1965). Escritor chileno, autor de la novela *Gente en la isla*. Una gran amistad lo unió a Pablo Neruda (p. 53).

Boroa, Lota, Talagante, Angol. Pueblos del Sur de Chile (p. 54).

Temuco. Ciudad de la infancia del poeta (p. 54).

Ancud. Puerto de Ancud, capital de la provincia de Chiloé (p. 55).

Tengo el as! Tengo el dos! Tengo el tres! Tengo el rey con la espada en la mano! Estribillo de una canción criolla (p. 57).

Nahuelbuta. Cordillera chilena (p. 64).

Joaquín Murieta. Bandido chileno. Personaje de leyenda popular. Vivió y murió en California durante la época del descubrimiento del oro (p. 73).

Arica, Antofagasta, Taltal, Coquimbo, Valparaíso, Quillota.
Puertos y ciudades del Norte chileno (pp. 73-88).

José Manuel Balmaceda. Presidente de Chile. Período
(1886-1891 (p. 108).

Lord Thomas Cochrane. Décimo Conde de Dundonald
(1775-1860). Navegante escocés. Fue el primer almirante de la Marina de Chile. Sus acciones de guerra más
famosas —El Callao, Valdivia— permitieron el tráfico y
comercio de todas las naciones al Sur del Océano Pacífico. Fue perseguido y encarcelado en Inglaterra antes de
entrar al servicio de Chile. El prólogo de este episodio,
"Lord Cochrane de Chile", es la transcripción casi literal
de uno de sus discursos en la Cámara de los Comunes
(*The autography of a seaman*, Richard Dentley, Londres, 1860). El poeta quiere significar con la transcripción en el poema de este discurso de Cochrane, que las
persecuciones sufridas por el gran navegante tuvieron
origen político (p. 117).

Bernardo O'Higgins (1776-1802), *José Miguel Carrera*
(1785-1821), *Manuel Rodríguez* (1786-1818). Próceres
chilenos. Padres de la Patria (p. 121).

Lago Rupanco. Lago del extremo austral de Chile (p. 127).

Pucatrihue. Aldea chilena (p. 127).

José Gervasio Artigas (1774-1850). Prócer uruguayo. Luchó
por la separación del Uruguay de lo que había sido el
Virreinato del Río de la Plata, consiguiendo sus propó-
sitos (p. 133).

Santos. Puerto del Brasil (p. 141).

ÍNDICE

Impreso en el mes de marzo de 1977
en I. G. Seix y Barral Hnos., S.A.
Avda. J. Antonio, 134-138
Esplugues de Llobregat
(Barcelona)